LIBRO UNO: LA COMPETENCIA

EL EVEREST

**El mundo de aventuras de
Gordon Korman**

LA ISLA

LIBRO UNO: EL NAUFRAGIO
LIBRO DOS: LA SUPERVIVENCIA
LIBRO TRES: EL RESCATE

INMERSIÓN

LIBRO UNO: EL DESCUBRIMIENTO
LIBRO DOS: EL FONDO DEL MAR
LIBRO TRES: EL PELIGRO

www.scholastic.com

www.gordonkorman.com

GORDON KORMAN

LIBRO UNO: LA COMPETENCIA

EL EVEREST

SCHOLASTIC INC.
New York Toronto London Auckland Sydney
Mexico City New Delhi Hong Kong Buenos Aires

Originally published in English as *Everest. Book One: The Contest*

Translated by Jorge I. Domínguez

ISBN 0-439-86975-7

Text copyright © 2002 by Gordon Korman.
Translation copyright © 2006 by Scholastic Inc.
All rights reserved. Published by Scholastic Inc.
SCHOLASTIC, SCHOLASTIC EN ESPAÑOL, and associated logos are trademarks and/or registered trademarks of Scholastic Inc.

12 11 10 9 8 7 6 5 4 3 2   6 7 8 9 10 11/0

Printed in the U.S.A.

First Spanish printing, September 2006

A Brandon VanOver

PRÓLOGO

Era un funeral como cualquier otro, salvo por un pequeño detalle: no había cadáver.

No era que se hubiera perdido. Su paradero era bien conocido, eso era lo más horrible de todo. El cuerpo se encontraba a mil cuatrocientos kilómetros de distancia en un país llamado Nepal, a nueve mil metros de altura en el monte Everest, el pico más elevado del planeta Tierra.

La parte del Everest que está por encima de los ocho mil metros de altura se conoce como la Zona de la Muerte. Allí, las demoledoras ráfagas de viento de más de trescientos kilómetros por hora pueden lanzar hacia el abismo a una persona, por fuerte que sea, y el frío gélido de la noche, de sesenta grados bajo cero, produce quemaduras e hipotermia. Dondequiera que estuviese el cadáver, seguro que estaría totalmente congelado.

Ningún helicóptero puede volar a una altura de nueve mil metros. A esa altitud, el aire no tiene la densidad necesaria para que las hélices lo impulsen. Un alpinista perdido tendría más probabilidades de ser rescatado en la superficie de la Luna que en la Zona de la Muerte. En la cima del Everest, no existe el rescate... sólo se puede recibir ayuda de las personas que hayan emprendido la subida con uno.

Era fácil divisar a los compañeros del fallecido entre los asistentes al funeral, y no sólo por su edad. Se movían con nerviosismo en la capilla, atenazados por el dolor y los estrechos cuellos de las camisas. Mentalmente, sin embargo, aún estaban en el otro extremo del mundo, a ocho kilómetros de altura, en la Zona de la Muerte.

Tenían algo en común con su amigo fallecido: nunca más saldrían realmente de la Zona de la Muerte.

CAPÍTULO UNO

Dominic Alexis ordenó las tapas de refresco y las envolturas en la alfombra de su cuarto y las examinó por centésima vez:

E E R E S T

Registró la caja de zapatos en busca de la V, aunque sabía que no estaba allí. Había erres, tes, docenas de es. Las había contado hacía más de una semana: eran más de cincuenta. Incluso había unas cuantas eses de más, pero ni una sola uve.

Así eran esas competencias. Distribuían millones de letras bajo las tapas de bebida Summit Athletic Fuel y en las envolturas de las barras Summit Energy por todas las tiendas del país. Después, imprimían sólo tres uves y las enviaban a una dirección inexistente en la Antártica en un sobre sin estampillas.

Era una exageración, por supuesto. Había uves por ahí, aunque sólo fuesen unas cuantas. Durante las últimas semanas, los noticieros de la tele habían mostrado imágenes de jóvenes alpinistas felices de haber reunido las letras de la palabra EVEREST, lo que les daba la oportunidad de optar a una de las cinco plazas del campamento de alpinismo. Cuatro de aquellas plazas ya habían sido reclamadas. Sólo quedaba una oportunidad.

En el campamento, los cinco dichosos ganadores se unirían a los quince mejores atletas de la Sociedad Juvenil Estadounidense de Alpinismo para pasar cuatro semanas de riguroso entrenamiento y competencias. Sería un mes brutal de sesiones de ejercicios de seis horas, escaladas nocturnas y expediciones maratónicas con pesadas mochilas al hombro. Sin embargo, todos esos sacrificios valdrían la pena. Los cuatro mejores alpinistas ganarían el derecho a participar en el SummitQuest, la expedición al Everest de Summit Athletic, el equipo más joven de la historia en intentar escalar el pico más alto del mundo.

Un grito proveniente de la planta baja interrumpió sus pensamientos:

—¿Dónde está mi arena?

Era el hermano mayor de Dominic, Christian. Chris no tenía que registrar los latones de basura o reciclaje en busca de tapas de botellas ni envolturas. Ya tenía asegurada su plaza en el campamento. Era el segundo mejor alpinista de menos de diecisiete años del país, superado solamente por el mismísimo Ethan Zaph, también conocido como Zeta.

Chris se refería a su talismán de la buena suerte: un pequeño frasco de vidrio con arena del Mar Muerto. Se lo había regalado su abuela, que lo había traído de un viaje a Israel cuando Chris era un bebito y Dominic ni siquiera había nacido. A Chris le fascinaba la idea de que la arena proviniese del lugar más bajo de la tierra. Cuando comenzó a escalar montañas, le ató al frasquito un cordel de cuero y se lo puso al cuello. "Voy a llevar mi frasquito a dar un paseo vertical", decía antes de escalar cualquier cosa y, al llegar a la cima de la roca, el acantilado o la montaña, le hablaba directamente al frasco: "Qué lejos estás de tu casa, pequeño, qué lejos".

Era natural que, a medida que Chris se convertía en un alpinista experto, alguna vez le pasara por la cabeza llevar su talismán del fondo del mundo hasta la cima del mundo en el monte Everest. Ahora, finalmente, tendría la oportunidad de hacerlo.

Mientras sus pasos resonaban en la escalera, gritó:

—¡Apúrate, Dom! Estoy empacando mis cosas para el campamento.

No había duda de que en ese momento la

LA COMPETENCIA

suerte le hacía más falta a Dominic que a Chris. Con el frasco de arena atado a su muñeca, abrió la ventana y salió con soltura al exterior.

En cualquier otro barrio, los vecinos se alarmarían de ver a un muchacho de trece años bajando desde la ventana de un segundo piso, pero eso era muy habitual en casa de los Alexis. A veces era el modo más sencillo de salir de la casa. Para la mayoría de las personas, el desplazamiento vertical no era una opción; para Chris y Dominic era una posibilidad tan natural como ir a la izquierda o a la derecha. Años atrás, cuando aún eran pequeños, Chris se había convertido en el campeón del juego de las escondidas en su pueblo, escalando un árbol de dieciséis metros de altura cada vez que le tocaba descubrir a sus amigos. Hasta el propio Sr. Alexis hacía a un lado la escalera cuando tenía que subir al techo para arreglar una gotera. Se había criado en Suiza, al pie de los Alpes, y era el responsable de que sus hijos hubiesen adquirido "la tonta manía del alpinismo", como decía su madre.

Y, de todos modos, escalar durante treinta segundos era preferible a enfrentarse a Chris por el robo, es decir, el préstamo de su talismán.

En cuanto al nivel de dificultad, bajar por la fachada de la casa le resultaba facilísimo.

Dominic comenzó el descenso metiendo sus zapatos en las rendijas que había entre los ladrillos.

Al pasar por el ventanal de la sala, vio que su madre lo observaba exasperada. No pudo escuchar lo que decía, pero leyó sus labios mientras se dejaba caer sobre el cantero de flores del jardín:

—Tenemos una puerta...

Sin embargo, Dominic ya se alejaba corriendo por la avenida Mackenzie. La preparación para el ascenso al Everest requería sesiones de ejercicios de entre cinco y siete horas, y él había mantenido el mismo ritmo de Chris, paso por paso, golpe de pedal por golpe de pedal, brazada por brazada. Sólo a la hora de escalar podía Chris sacarle ventaja. Chris tenía casi dieciséis años, era más alto y mucho más fuerte que Dominic. Podía escalar por una cuerda usando sólo los brazos con la misma naturalidad con que un yoyo regresa a la mano. Dominic había cumplido trece años hacía sólo un mes, y era pequeño para su edad.

El supermercado de la avenida Mackenzie era como su segunda casa. Dominic calculaba que se había bebido más de cuarenta galones de Summit Athletic Fuel para reunir las letras E EREST. Se había comido unas cuantas barras también, pero las barras Summit Energy eran como cemento de secado rápido. Después de comerte unas cuantas, parecía que tenías el estómago lleno de concreto. Era mejor seguir tomando líquido.

"Una botella más. Otro intento".

Por pura costumbre, revisó el latón del reciclaje de la tienda, pero estaba casi vacío: sólo encontró dos latas de refresco. Entró y agarró una botella de Fruit Medley. El sabor no tenía importancia cuando se trataba de Summit Athletic Fuel: todos sabían igual, como una limonada ligeramente salada. Pagó el refresco, salió y se dejó caer en el banco de madera que había junto a la tienda.

Antes de abrir la botella, le habló al talismán de la buena suerte como había visto hacer a su hermano:

—¡Dame una V para completar Everest, por favor! ¡Te llevaré a la cima del mundo!

Miró tímidamente a su alrededor para asegurarse de que nadie lo hubiese escuchado. Cuando Chris le hablaba a su frasquito de arena, parecía lo más natural del mundo, pero hacerlo en el estacionamiento del supermercado era realmente vergonzoso.

Le dio una vuelta a la tapa y miró el revés.

Otra E.

No fue hasta que se le pasó un poco la desilusión que se dio cuenta de cuánta fe había puesto en que el talismán de su hermano le concedería lo que deseaba.

La correa de cuero se le resbaló de la mano y el frasco cayó al pavimento y comenzó a rodar por la pequeña rampa del estacionamiento. Horrorizado, Dominic salió corriendo tras él. Perder la oportunidad de subir el Everest no era nada en comparación con lo que le sucedería si tenía que decirle a su hermano que había perdido el frasco de arena del Mar Muerto.

Se lanzó al suelo como un cangrejo para tratar de agarrarlo, pero el frasco seguía rodando delante de él. Cuando llegó a la entrada del estacionamiento, vio una inmensa camioneta que subía por la rampa. El conductor pisó desesperadamente los frenos y logró detenerse a unos centímetros del muchacho.

—Oye, ¿qué te pasa? ¡Mira por dónde caminas!

—Disculpe —dijo Dominic recogiendo el pequeño frasco y quitándose del camino. Su mamá siempre tenía pesadillas en las que uno de los miembros de la familia moría escalando una montaña. "Apuesto a que nunca imaginó que sucedería así", pensó Dominic aún asustado.

La camioneta aceleró, subió la rampa y se detuvo en la cima. El chofer lanzó la envoltura de una golosina en la basura y continuó su camino.

Era una barra Summit Energy. Dominic reconoció el logotipo desde donde estaba, todavía paralizado por el susto. Dominic podía escalar riscos empinados, pero subir aquella pequeña rampa para ir a recoger el papel le pareció mucho, mucho más difícil.

Metió la mano en el latón de basura y sacó la pegajosa envoltura. De algún modo, casi supo lo que vería antes de voltearla.

¡Una uve!

Era su pasaje a la cima del mundo.

CAPÍTULO DOS

Cap Cícero no era un tipo que se preocupara por muchas cosas.

Aquella vez que subieron el monte McKinley, cuando se cayó un peñasco desde una altura de cinco mil metros y pasó zumbando tan cerca de ellos que el viento por poco lo saca del arnés, él ni se preocupó. Su filosofía era: si no te da, no sucedió. Y si te da, no tienes ya que preocuparte de nada.

En el alpinismo, un tipo preocupado era como un cirujano que se desmayara al ver la sangre. Ninguno de los dos llegaría demasiado lejos, y Cícero había estado cosechando hazañas suicidas y gloriosos triunfos durante treinta y uno de sus cuarenta y siete años de vida.

Sin embargo, ahora, al observar a los veinte candidatos del SummitQuest, Cícero pensó que había sido un error haber aceptado el liderazgo de la expedición.

—Son unos niños —le dijo a Tony Devlin, el director del Centro de Entrenamiento Deportivo de Summit en High Falls, Colorado—. Un adulto promedio baja once kilos de peso o más en la subida al Everest. La mitad de esos muchachos se volverían invisibles si bajaran esa cantidad de kilos.

—No te preocupes —le dijo Devlin—. Mira a Ethan Zaph...

—Me sé bien la historia de Ethan Zaph —lo interrumpió Cícero. Unos meses atrás, Ethan se había vuelto famoso al escalar el Everest poco antes de cumplir los quince años: la persona más joven de la historia en llegar a la cima del mundo—. ¿Y por dónde anda?

Devlin se rió entre dientes.

—Sabe que tiene un puesto garantizado. ¿Por qué iba a molestarse en pasar un mes en el centro de entrenamiento?

Cícero dio un resoplido, pero sabía que Ethan Zaph no era el problema. Con un metro ochenta de estatura y 100 kilos de peso, el muchacho parecía un leñador. Christian Alexis tenía también un cuerpo de adulto; pero Chris había traído con él a su hermano de trece años. ¡Trece años!

—Eso fue un error —le dijo Cícero a Devlin—. Chris me parece bien, pero ¿su hermano? Míralo. No creo que llegue al metro cincuenta de estatura.

Devlin se encogió de hombros.

—No lo seleccionamos nosotros. Entró en el campamento por el concurso de las letras.

Cícero frunció el ceño.

—Tuvo suerte o le gustan mucho las barras Summit.

—O quizás no se rinde hasta conseguir lo que quiere —señaló Devlin—. No sería malo tener un tipo así en la expedición. Me han dicho que es un alpinista de primera clase.

Cícero hizo un gesto de duda.

—Demasiado pequeño. ¿Qué vamos a hacer con él?

—Hazme un favor —le dijo Devlin—. No lo elimines desde ahora. Summit logró muchísima publicidad con el concurso. Debemos demostrar que los ganadores del concurso tienen una posibilidad real de participar en la expedición.

Cícero asintió pensativo.

—Y después los eliminaremos.

—No necesariamente —dijo Devlin, y apartó del grupo a un fornido corredor de pelo negro y rizado—. Este es uno de los ganadores del concurso. Rob Barzini, te presento a Cap Cícero.

El muchacho miró con ojos brillantes al jefe de la expedición.

—Es un honor conocerlo, Cap. He leído sobre algunas de sus expediciones.

En su rostro se dibujó una amplia sonrisa que dejó a la vista los correctores dentales que llevaba en sus dientes inferiores y superiores. Cícero lo observó consternado.

—¿Cuándo te quitan los hierros?

—El ortodoncista dice que me faltan dos años.

Cícero dejó escapar un suspiro.

—Recoge tus cosas, muchacho. No puedo llevar esa boca a un sitio donde la temperatura es de sesenta grados bajo cero. El frío quebraría los correctores y andarías por la Zona de la Muerte con la boca llena de cuchillas afiladas.

Hubo algunas lágrimas, pero Rob aceptó su suerte y se dirigió a la oficina para preparar su regreso.

—Eres un tipo despiadado —lo acusó Devlin.

—Es una montaña despiadada —replicó Cícero, e hizo sonar su silbato. Los candidatos, que estaban corriendo alrededor de la pista de cuatrocientos metros, se detuvieron y se voltearon hacia él, esperando sus instrucciones. Dominic fue el único que siguió corriendo, con su mochila de nueve kilos moliéndole la escuálida espalda. No cabía duda, el muchacho tenía aguante. Cícero dio una palmada—. Está bien, ¡arriba! Apuren el paso. ¡En la montaña no hay recreo!

Los candidatos volvieron a correr, a mayor velocidad esta vez. Dominic aceleró todavía más.

El tremendo esfuerzo hacía que pareciera aún más pequeño cuando rebasaba a los muchachos más altos del grupo.

Una vez, en K2, a Cícero se le había caído un guante en la grieta de un glaciar mientras ataba una escala que se había soltado. Se había quedado atrapado en la cordillera Abruzzi y había tenido que acampar allí mismo y pasar la noche a treinta y ocho grados bajo cero en una estrecha cueva de hielo. Tenía la mano sin guante metida en la otra manga para evitar que se le congelara. Se despertó con un dolor terrible, pues se había dislocado un hombro, pero no se dejó vencer por el pánico.

Hallar cuatro alpinistas en este grupo... *eso* sí era una buena razón para sentir pánico.

"Bien", pensó. Estaban Zaph y Chris Alexis. Necesitaría sólo dos más.

Sus ojos se fijaron inmediatamente en Norman "Tilt" Crowley, que iba trotando rítmicamente alrededor de la pista. Tilt —que quiere decir *inclinado*, un apodo ideal para un alpinista—, era más joven que Ethan y Chris, pero casi del mismo tamaño, con el mismo cuerpo fornido y atlético. Además, sólo tenía catorce años. Si Cícero lograba llevarlo hasta la cima, superaría la marca de Ethan por más de un año. La expe-

LA COMPETENCIA

dición SummitQuest aparecería en la primera página de todos los periódicos del mundo... y esa era precisamente la idea.

Vio que Tilt tomaba la curva y se acercaba a Dominic. Sucedió tan de repente que el jefe del equipo no estaba seguro de haberlo visto. Tilt puso sus manos en la mochila de Dominic y saltó sin esfuerzo sobre el muchacho.

"Magnífico", gruñó para sus adentros Cícero. Lo último que necesitaba una expedición de gran altitud eran acrobacias inútiles.

Sus ojos se dirigieron a la cola del grupo. Joey Tanuda, de dieciséis años, era más pequeño y menos fornido, pero era muy fuerte y tenía fama de ser un excelente compañero. Además, tenía experiencia en el hielo. Todos los inviernos sus padres lo llevaban a Alaska a escalar cascadas heladas.

Sabía también que Summit Athletic estaba presionando para que se incluyera al menos a una muchacha en el equipo. Bryn Fiedler era la selección obvia. Era considerada la mejor alpinista femenina de menos de diecisiete años del país, y tenía fama de ser una escaladora muy astuta. Era alta, medía un metro setenta, tenía brazos muy fuertes y una resistencia increíble. Tendría que ser ella. El montañismo era un deporte dominado por los hombres. Las mujeres alpinistas tenían que ser bulldogs para ganarse el respeto que merecían, y Cícero creía que las más jóvenes tenían que esforzarse aún más.

Aparte de Bryn, no había ninguna otra muchacha que le pareciera gran cosa, excepto...

El jefe del equipo entró en la pista y le quitó los audífonos y las gafas de sol a Samantha Moon, una trigueña de quince años que llevaba una camiseta que decía *Sin miedo*. No sólo corría al mismo ritmo que los varones, sino que simulaba al mismo tiempo que tocaba una guitarra invisible. Al quedar sin audífonos, Sammi detuvo la pantomima y se detuvo, mirando a Cícero con expresión de sorpresa.

—¿Qué pasa?

—No estamos corriendo para divertirnos —le informó con sequedad.

—¿Y quién dijo lo contrario? —contestó ella, arrebatándole los audífonos.

—Hay gente que *muere* subiendo al Everest —le dijo Cícero—. Te elimino ahora mismo si no entrenas seriamente.

—Yo estoy entrenando seriamente —respondió la muchacha, y volvió a hacer como que tocaba una guitarra—, esto es sólo mi estilo.

—Pues no lo será en mi expedición —dijo Cícero.

—Bueno, ¿y por qué no lo dijo antes? —repuso ella, poniendo la radio y las gafas en el suelo y reincorporándose al grupo.

Cícero quedó desconcertado.

Devlin se encogió de hombros y dijo:

—Si te disgusta su actitud, ¿por qué no la sacas del programa?

A Cícero no le faltaban ganas de hacerlo, pero se contuvo. Lo cierto era que no conocía ningún alpinista de primera clase que no tuviera un tornillo suelto. Respondió finalmente en voz alta:

—Siempre podré tomar mi decisión más tarde.

Devlin le señaló un muchacho de quince años que tenía el pelo más colorado que Cícero había visto jamás.

—¿Qué te parece el pelirrojo?

—Fácil de rescatar —dijo el líder de la expedición—. Podríamos divisarlo en la cumbre de una cordillera desde el llano.

—No, en serio —insistió Devlin.

Cícero observó la cabellera ondulante. Era un adolescente "promedio". Ni alto ni bajo, ni gordo ni flaco. El tipo de muchacho que no llamaría la atención... si no fuera por la llamarada roja que llevaba en la cabeza.

—Perezoso —dijo mientras observaba su trote cansino—. No es una buena señal, pero como te dije, aún es muy temprano. ¿Por qué te interesa?

—Ese es Perry Noonan —respondió Devlin.

Cícero prestó más atención.

—¿El famoso Perry Noonan? ¿Está aquí?

—Es él —le aseguró Devlin.

—Oye, Tony, ¡pero si ya habíamos hablado de eso! No le haríamos un favor a nadie llevando a un alpinista que no esté preparado para esta expedición. —Devlin lo miró directamente a los ojos y Cícero fue el primero en desviar la mirada—. Eso lo decido yo. Está en el contrato. Yo soy el jefe, ¿cierto?

—Tú eres el jefe de la expedición —asintió Devlin—. Sin embargo, siempre hay otro jefe, un jefe más alto que puede decirte, "Bueno, a lo mejor no subimos al Everest este año". Lo sabes, ¿verdad?

Cícero recordó entonces aquella ocasión en que estaba en la ladera norte del Eiger, cuando se quebró el tornillo de hielo. Había caído por un precipicio de veinte metros y se había estrellado de nuevo contra la pared de roca, quebrándose un tobillo y dislocándose el otro. No se había dejado dominar por el pánico entonces. No había tiempo para ello. Tenía que dedicar toda su fuerza y sus destrezas a intentar llegar vivo a la base de la montaña.

Después de lo que había visto y escuchado hoy, Cap Cícero estaba muy preocupado.

CAPÍTULO TRES

El Centro de Entrenamiento Deportivo de Summit en High Falls, Colorado, estaba ubicado en medio de los picos nevados de las Montañas Rocosas. Estaba en una meseta a tres mil metros de altura, convirtiéndolo en la instalación de su tipo a mayor altura en los Estados Unidos. Y sin embargo, estaba casi tres kilómetros más abajo que el primer campamento del Everest y más de seis kilómetros más bajo que su cumbre.

En la instalación se habían entrenado algunas de las figuras más importantes del mundo del deporte: Tiger Woods, Michael Johnson, Kobe Bryant, Tony Hawk y el equipo femenino de fútbol de los Estados Unidos que había participado en la Copa Mundial. Sin embargo, nunca se había visto allí un entrenamiento como el que estaban realizando los diecinueve candidatos que competían por integrar el equipo del SummitQuest de Cap Cícero.

Cada mañana, el grupo tenía tres horas de entrenamiento en el gigantesco gimnasio. Hacían levantamiento de pesas, ejercicios aeróbicos, calistenia y horas de práctica de diferentes técnicas de escalada con sogas en el muro de veinte metros de alto que se había construido especialmente para ellos. Era un régimen brutal, pero no se podía comparar con lo que debían enfrentar en la tarde. Cícero y sus entrenadores los llevaban a escalar durante seis horas a uno de los terrenos más peligrosos y escarpados de América del Norte.

—Cap, tengo que parar —dijo Cameron Mackie tras caminar quince kilómetros con una mochila de catorce kilos a la espalda. La ruta que seguían tenía tantas subidas y bajadas que la llamaban la Tapa del Inodoro. Los alpinistas siempre le ponían sobrenombres a las rutas.

—¿Qué pasa? —le preguntó Cícero sin que su voz diera ninguna señal de fatiga.

—Lo que pasa es que nos estamos muriendo aquí atrás —se quejó Tilt—. Si nos destrozamos en la preparación, ¿cómo vamos a subir el Everest?

Cícero asintió, pero no aminoró el paso.

—Esa regla sirve para el montañismo habitual, pero para un ascenso de gran altitud en los Himalayas, te entrenas hasta que no puedes más y después te sobrepones. Tienes que acostumbrarte a seguir adelante aunque el cuerpo te diga que pares.

Sammi miró hacia el precipicio.

—Oye, ¿te imaginas lanzarse desde aquí en un planeador? ¡Sería increíble!

—Lo increíble sería poder sacarte destrozada de entre los árboles para llevarte al hospital en helicóptero —agregó Bryn en tono seco.

—Nunca vas a llegar a la cima del Everest si te cuidas tanto el pellejo —le advirtió Sammi.

—Puede ser que no llegue a la cima, pero te garantizo que regresaré a la base —le dijo Bryn seriamente—. Escalar es buscar el ángulo correcto, predecir los peligros y evitarlos.

—Eso es lo que dice el libro —se burló Sammi—. El mundo está lleno de peligros y tienes que enfrentarlos. Mi novio y yo fuimos la semana pasada a hacer *bungee*. A Caleb le gustó, pero a mí me pareció un poco artificial. Una vez que terminas de caer, te quedas colgando, no pasa nada más.

—¿Tus padres te dejan hacer todo eso? —preguntó Bryn asombrada. Su afición por el alpinismo era causa de constantes discusiones entre su madre y su padre. Aunque ellos no necesitaban de ninguna excusa para discutir.

Trató de olvidar sus sentimientos de culpa. Ellos probablemente se habrían separado aunque ella se hubiese dedicado a coleccionar estampillas de correos en lugar de escalar montañas. Sammi se encogió de hombros.

—Papá cree que escalar el Everest me calma-
rá, pero lo que de veras quiero hacer es ir a una
caverna submarina que hay en Australia donde
puedes bucear entre los tiburones dormidos.

Bryn se echó a reír.

—No hay ningún riesgo que no quieras correr, ¿verdad?

—Sólo uno —dijo Sammi Moon—. Vivir una
vida aburrida.

Lenny Tkakzuk les enfocó una cámara de
video en la cara. Era el guía encargado de docu-
mentar la expedición para la página de Internet
del SummitQuest.

—¡Ay, por favor! —protestó Cameron.

—Todos ustedes aceptaron ser entrevistados
para el Internet —le recordó el guía camarógrafo.

—Eso será en el Everest —le dijo Sammi—.
¿A quién le importa lo que hagamos en el campamento?

—Creemos que será interesante para el público ver quién formará parte del equipo y quién
no. Muéstrenme su entusiasmo. Digan algo
positivo.

—Pues estoy positivamente seguro de que voy
a vomitar —dijo Cameron.

Tkakzuk, el extraño apellido de Lenny, se pro-
nunciaba *kachuk* o, como él mismo dijera, "Es

como un estornudo entre dos kas". Algunos de los candidatos comenzaron a llamarlo Estornudo. No sólo se le quedó el apodo, sino que siguieron poniéndole los nombres de los Siete Enanitos a otras personas. El ensimismado jefe de cocina pasó a ser Dormilón. Al diseñador de la página de Internet, que nunca miraba a nadie a los ojos y cuyos mejores amigos probablemente eran las computadoras, lo llamaron Tímido. A Andrea Oberman, la médico de la expedición, que también era una alpinista de primera clase, le pusieron Doc. Aún no le habían puesto Tontín a nadie. Dominic pensaba que estaban reservando el apodo para dárselo al que fuera lo suficientemente tonto para pedirlo. A Dominic le parecía que las apuestas apuntaban a Tilt. Aquel bocón se ganaría la expulsión por sus continuas protestas. Otros decían que era el candidato ideal para ser Gruñón. Sería un crimen, decían, darle ese apodo a otro.

Y estaba también Feliz. Era un muchacho de California, de quince años, que siempre parecía estar de buen ánimo. Según Joey, su compañero de cuarto, dormía con una sonrisa en el rostro. No importaba cuánto los torturara Cícero en el maratón de la tarde, Feliz siempre parecía encantado de hacerlo.

—¿Ustedes creen que esto es difícil? —decía entusiasmado—. ¡Esto no es nada! —e inmediatamente comenzaba a hablarles de una subida extremadamente difícil en el parque Yosemite.

A Feliz le encantaba la comida de la cafetería. Pensaba que los pequeños cuartos que compartían eran de lujo. Todas las noches se pasaba horas en el laboratorio de computación enviando a sus amigos mensajes de correo electrónico en los que les contaba lo contento, entusiasmado, extasiado y emocionado que estaba.

—Es como un rayo de sol —comentó Joey—. No lo aguanto.

Quedaba Blancanieves. Por acuerdo unánime, el título fue conferido a Cap Cícero porque, como dijo Sammi, "Nadie más frío que él".

Cícero parecía tener una imaginación inagotable cuando se trataba de buscar nuevas e interesantes maneras de torturar al grupo. Cuando se acostumbraron a la mochila de catorce kilos, los hizo cargarla con diecisiete. Cuando dominaban una ruta difícil, buscaba otra peor. Una vez los llevó en bicicletas de montaña por un precipicio llamado el Borde del Mundo. Cuando llegaron a la cúspide, los hizo descender por cuerdas con las bicicletas sujetas a la espalda.

—¿Ustedes creen que esto es difícil? —dijo

Feliz encantado—. Por lo menos aquí está fresco. Yo me perdí en los Pinnacles un día que hacía cuarenta grados de temperatura.

Cuando los entrenamientos de escalada bajo techo se hicieron rutinarios, a Cícero se le ocurrió cómo hacerlos más difíciles. Los obligó a hacer la misma rutina con un compañero al hombro, como si este estuviera herido y no pudiera avanzar.

—Ni te imagines que haría algo así en una expedición de verdad —gruñó Tilt con el peso de Todd Messner a sus espaldas—. Si uno de ustedes, inútiles, se cae subiendo el Everest, que se dé por dichoso si no le pongo la bota en la cara para seguir subiendo a la cima.

—¿Y si te caes tú? —le dijo Bryn mientras bajaba a Perry con una cuerda.

—Eso no va a suceder jamás —replicó Tilt.

Viendo la fuerza y la confianza con que subía por el muro, Bryn pensó que posiblemente tenía razón. Esa tarde, después de cinco horas de marcha, Feliz se desmayó a mitad de camino en un escarpado llamado la Escalera del Diablo. Había comenzado a decir, "¿Ustedes creen que esto es difícil?", y desapareció de pronto por el borde de granito.

Joey trató de agarrar a su compañero de cuarto, pero perdió el equilibrio y se cayó. El californiano, inconsciente, le pasó a Sammi por el lado y se deslizó entre las piernas de Tilt. Ya iba a caer por el borde de la meseta cuando Bryn logró atraparlo presionando la espalda contra la roca.

Por suerte, la Dra. Oberman estaba allí mismo. Después de tomar un poco de agua y de estar un rato con la cabeza entre las rodillas, Feliz pudo terminar el entrenamiento.

El susto no disminuyó la constante alegría de su cara.

DIARIO MÉDICO: PERFILES PSICOLÓGICOS
Entrevista con Dominic Alexis

Dra. Oberman: *¿Cómo te sentiste cuando Feliz se desmayó hoy?*

Dominic: *Me dio lástima.*

Dra. Oberman: *¿Nada más?*

Dominic: *¿Qué quiere decir?*

Dra. Oberman: *Miedo, quizás... de que te pudiera suceder a ti.*

Dominic: *Mi padre nos ha entrenando a Chris y a mí. Conocemos todas las señales de aviso: la deshidratación, el cansancio extremo...*

Dra. Oberman: *Algunos de los muchachos se han quejado de que Cap es demasiado duro con ellos.*

Dominic: *Cap Cícero es una leyenda. He leído*

todos sus libros. Casi me sé de memoria su expedición al K2 de 1999. ¡Aún no puedo creer que lo haya conocido!

Dra. Oberman: ¿Te molesta ser el más joven y el más pequeño del grupo?

Dominic: Estoy acostumbrado. Me entreno siempre con Chris.

Dra. Oberman: Tu hermano tiene una gran reputación. ¿Será por eso que estabas tan obsesionado con ganar el concurso, para que no se te adelantara?

Dominic: No creo que estuviera obsesionado.

Dra. Oberman: Los del concurso me contaron que reuniste 145 tapas de botellas y 36 envolturas de las barras energéticas. Sabías que las probabilidades de ganar no eran muchas. ¿Qué te hizo persistir en tu intento?

Dominic: No encontraba la uve.

Cícero alzó la vista de la carpeta para mirar a la Dra. Oberman.

—¿Para qué lo entrevistaste? Ya te dije que él no va.

—Sentía curiosidad —admitió la doctora—. Es un chico tan intenso...

—¿Y qué averiguaste en la entrevista?

Ella sonrió.

—Que es honesto, decente, dedicado, tenaz

y saludable como un caballo: exactamente el tipo de persona que necesitas en esa expedición.

—Seguro que sí —dijo Cícero sarcásticamente—, si le añadiéramos dos años, treinta centímetros de estatura y quince kilos de peso.

La doctora se echó a reír.

—Me imagino que te gustaría saber que es un gran admirador tuyo.

—Muy bien —dijo Cícero—. Le daré una copia autografiada de mis memorias. Así tendrá algo que leer mientras su hermano sube al monte Everest.

A la mañana siguiente, Lenny "Estornudo" Tkakzuk se levantó temprano para poder filmar a los candidatos cuando bajaran a desayunar. Fue el primero que vio el daño.

Una mesita que estaba en el pequeño recibidor en la entrada de la cafetería tenía dos patas rotas y a su lado había una lámpara de cristal hecha añicos.

Diez minutos más tarde, Cícero llegó a su lado, restregándose los ojos para terminar de despertarse.

—¿Me levantas a las seis de la mañana para enseñarme un montón de cristales rotos?

Estornudo parecía preocupado.

—Piensa en nuestros muchachos, Cap. Están

acostumbrados a caminar por el borde de los riscos sobre precipicios de trescientos metros. No andan por ahí tropezando con las cosas.

—No me vengas con adivinanzas. Todavía estoy medio dormido. ¿Estás insinuando que alguien hizo esto a propósito?

—Eso o anoche hubo una pelea. Tenemos a esos muchachos sometidos a un régimen, y está en juego algo muy importante para ellos.

Cap dejó escapar un suspiro.

—Tendría que haber llevado a aquellos ortodoncistas a Nanga Parbat. Ah, pero no, tenía que venir a hacer de niñera de una banda de delincuentes juveniles —dijo, acomodándose su melena despeinada—. Bien, hablaré con ellos.

CAPÍTULO CUATRO

Había una de esas tormentas de nieve que son tan comunes en Colorado en enero. Comenzó a nevar poco después de oscurecer, y a las dos de la mañana, cuando Cícero sacó a los diecinueve candidatos de la cama, ya había quince centímetros de nieve en el suelo.

—¿Qué pasa, Cap? —preguntó Chris medio dormido.

—¿Nunca has pasado una noche en el Collado Sur del Everest? —le preguntó Cícero.

—No.

—Bueno, pues esto es lo más parecido. Carguen las tiendas. Vamos a acampar esta noche.

Envueltos en sus pesadas ropas de invierno, los muchachos salieron adormilados a la intemperie. El intenso frío los despertó rápidamente, pero les resultaba casi imposible instalar los pilares de aluminio en medio del viento y la nieve.

—Apúrense —dijo Cap—. Tendrán que hacer esto tras once horas de ascenso —gritó, y se volvió hacia Sammi, que estaba acostada en la nieve tomando una siesta con la tienda empaquetada como almohada—. ¿Qué te pasa, Moon? Pensé que te gustaba la aventura.

—Sí, me gusta la aventura en una tabla de *snowboard* —le dijo soñolienta—, no enterrada en la nieve.

Los hermanos Chris y Dominic, que estaban acostumbrados a trabajar en pareja, fueron los primeros en terminar de armar su tienda.

—¡Te dije que aguantaras el faldón, idiota! —le gritó Tilt a Perry.

—Está bien, está bien —dijo el pelirrojo tratando de acurrucarse en el escaso espacio que dejaba el cuerpazo de Tilt.

—¡Qué pérdida de tiempo! —protestó Tilt. Cícero lo oyó.

—No es ninguna pérdida de tiempo —le dijo muy serio—. ¿Adónde crees que vas, a un campamento de verano? Entrenarse para un trabajo difícil y un clima infernal es también difícil e infernal.

—Bueno, ¿y dónde está su tienda? —le preguntó Tilt desafiante.

—Yo ya hice esta parte del entrenamiento —le respondió Cap.

—Para usted es fácil decirlo —dijo Tilt susurrando.

—¿Quieres ver mi diploma? —le preguntó. Tilt le clavó los ojos en silencio—. ¡Muy bien! —dijo el jefe de la expedición mientras se quitaba de un tirón la bota izquierda y la media—. Annapurna, 1989. La lámpara del casco se descompuso y tuve que pasar una noche a ocho mil metros de altura. Lo peor de la quemadura de frío es que no sientes dolor. Sólo te sientes entumecido, pero es peor que el dolor porque sabes lo que te va a pasar.

Los candidatos se quedaron pasmados. A Cícero le faltaban los dos dedos más pequeños del pie izquierdo. Era una de las verdades más crueles del montañismo a gran altura. Para el peor tipo de quemadura de frío sólo había un tratamiento: la amputación.

Fue una clara advertencia para los aspirantes a subir al Everest. Todos eran excelentes alpinistas, pero ¿estarían listos para las brutales condiciones de tan altas montañas? Hasta Tilt se quedó sin palabras.

—Esto es Honolulú comparado con lo que van a vivir en dos meses —les informó Cícero en tono severo—. Aloha.

Habría sido el momento ideal para darse vuelta dramáticamente y marcharse, pero como se había quitado una bota, tuvo que irse dando saltitos, hablando consigo mismo mientras desaparecía en medio de la nevada.

—Ahí va una de las grandes leyendas de todos los tiempos —dijo Dominic con admiración.

LA COMPETENCIA

—Ahí va uno de los grandes chiflados de todos los tiempos —rectificó Tilt—. Ni que me hiciera falta ver su horrible pie.

Chris le clavó la mirada.

—Quizás tú seas un gran alpinista, Crowley, pero pasará mucho tiempo antes de que tengas la experiencia de ese hombre.

Tilt extendió sus brazos.

—Perdóname por pensar que es una estupidez salir a congelarse en la nieve por gusto.

—Pues este es el tipo de campamento que tendremos que hacer en el Everest —arguyó Dominic.

—No me importaría hacerlo en el Everest —rugió Tilt—, pero no cuando tengo una cama muy cómoda detrás de esa puerta.

Las tiendas los protegían del viento y la nieve, pero no del frío. Los candidatos se acurrucaron en sus sacos de dormir para conservar el calor del cuerpo. El espacio era tan reducido que se sentían como sardinas en lata. Era imposible dormir.

—Si no me quitas el codo de la espalda no vas a salir vivo de esta tienda —le dijo Tilt a Perry.

—Casi no puedo moverme —se quejó Perry. Trató de acomodarse, pero el cuerpazo de Tilt lo presionaba contra la pared de la tienda.

—¿Qué te pasa, niño rico? ¿Las instalaciones no son de tu agrado?

Perry lo miró enojado.

—¿De qué estás hablando?

—Mira tus cosas. Crampones de titanio. El mejor piolet que el dinero puede comprar. Toda la ropa Gore-Tex —dijo, palpando la tela del abrigo de Perry—. Estás todo calentito mientras nosotros nos congelamos.

—Me lo regalaron...

—Tienes de todo.

—Mi padre es un empleado en la oficina de correos —insistió Perry.

—Querrás decir que es el dueño.

Perry respiró profundo.

—Tengo un tío que es rico, ¿está bien? Él pagó por todas estas cosas.

—Pues debes decirle que te compre un poco de talento —dijo el otro, burlándose—. Escalas como una ancianita.

Perry no se sintió insultado. En realidad, pensó con tristeza, si la habilidad de escalar montañas pudiera comprarse, su tío Joe se la habría comprado también, como había hecho con las lecciones, el equipo y la ropa. El dinero no era un problema para el tío Joe.

Era genial y horrible al mismo tiempo.

Y ahora se estaba volviendo insoportable.

CAPÍTULO CINCO

Para Perry Noonan, tener un tío multimillonario era como jugar con un elefante. Aunque el animal tuviera las mejores intenciones del mundo, te vapuleaba constantemente. Joe Sullivan había abandonado su sueño de ser un gran alpinista porque tenía la presión arterial alta y un negocio que requería su atención veinticinco horas al día. Por ello, este solterón presidente de una compañía había cambiado su piolet y su ropa de alpinismo por las excursiones de fin de semana con su único sobrino en las montañas de las afueras de Boulder.

Y Perry había aceptado. Por supuesto que sí. ¿A quién no le hubiese gustado compartir con la leyenda de la familia, un hombre que estaba siempre en los periódicos y en la televisión? No importaba que Perry hubiese preferido ir a ver un partido de hockey con su tío o jugar con él al ajedrez. (El ajedrez, eso era algo en lo que Perry se distinguía). Sin embargo, se trataba de Joe Sullivan. Si él quería ir a las montañas contigo, pues a las montañas ibas. Y si para eso había que escalar, pues a escalar.

EL EVEREST

Escalar... Perry sintió que un temblor le recorría el cuerpo. Sabía escalar. Y escalaba muy bien. Sin embargo, aquel sentimiento de que no era algo natural, que no era donde él debía estar, nunca lo abandonaba.

"Si Dios hubiese querido que yo subiera la pared de ese precipicio, le habría puesto una escalera". Era un chiste viejo, pero Perry lo creía al pie de la letra. Para él, en cada ladera vertical o escarpado había algo que le decía claramente: "No deberías estar aquí. Vete".

Con los años había aprendido a controlar ese sentimiento. Algo tan sencillo como no mirar hacia abajo lo había ayudado mucho. Y el trabajo con las cuerdas mantenía su mente ocupada. El amarre de aseguramiento —la colocación de tornillos, anclaje y levas para que un alpinista pueda sujetar a otro en caso de un resbalón— requería mucha concentración. Como ese trabajo lo ayudaba a no pensar dónde estaba y qué estaba haciendo, Perry se había convertido en un excelente asegurador.

El tío Joe estaba muy orgulloso de su destreza. "Me encanta verte atando esas cuerdas. Tienes un talento natural".

El tío Joe nunca se dio cuenta de la verdad: Perry Noonan era bueno con las cuerdas porque no tenía talento natural. Había estado disimulando todos estos años, en todos esos riscos, gargantas y acantilados. Y ahora iba a tratar de ascender la montaña más alta de la Tierra simulando un talento que no tenía: nueve mil metros sin mirar para abajo. Y todo eso porque no tenía el valor de defraudar al tío Joe.

Se dio vuelta en su diminuto espacio.

—No importa cómo llegué hasta aquí —susurró en la oscuridad—, porque no me van a seleccionar para el equipo.

—En eso tienes razón —se burló Tilt.

Era el único consuelo de Perry. No había manera de que un experto como Cap Cícero no se diera cuenta de que Perry no estaba al nivel de los otros alpinistas. Para empezar, Ethan Zaph llegaría en pocos días. Zaph era mejor que el 90 por ciento de los alpinistas adultos de todo el mundo y ya había subido al Everest. Y había otros, como Chris y Joey... y Tilt, que sería un bravucón y un pedante, pero como atleta era excepcional. Hasta dos de las muchachas parecían llevarle una ventaja de muchos kilómetros a Perry. Pensó en la confianza y la destreza de Bryn y en la audacia de Sammi. Esto era mucho más que un pasatiempo para todos ellos, era su modo de vida. La mitad de los muchachos se pasaba su tiempo libre escalando rocas. Nueve horas de entrenamiento al día, y esta gente almorzaba en dos minutos para correr a buscar una roca de siete metros que escalar. Por pura diversión.

Perry no tenía un lugar en la misma montaña que ellos. Ellos eran de ese tipo de gente que mira para abajo.

Atisbó por la abertura de la tienda. Todo estaba en perfecta calma, excepto por una borrosa figura a unos quince metros de distancia, casi invisible en medio de la nieve. Entrecerrando los ojos para ver entre la tempestad, pudo observar que la figura caía y desaparecía por la empinada ladera.

—¡Oye! —dijo agarrando el saco de dormir de Tilt—. Alguien se cayó.

—Eso no es problema mío —dijo el muchacho, y se dio la vuelta hacia el otro lado.

Perry salió de la tienda y corrió tan rápidamente como pudo entre la nieve. Miró ladera abajo. Había muy poca luz, pero pudo escuchar un grito lejano y divisó una figura oscura deslizándose por el valle a una velocidad increíble.

Bajó a tumbos por la ladera, rezando para que no fuera un lobo o, peor aún, un oso. Al llegar al final de la ladera se produjo una lluvia blanca, y la figura desapareció. Perry se acercó corriendo al lugar.

—¡Hola! —gritó—. ¿Estás bien?

Algo se movió en la nieve, y de repente apareció Sammi Moon, cubierta de nieve, pero con los ojos brillantes.

—¡No estuvo mal! —dijo mientras se inclinaba y sacaba el cubo de basura plástico en el que se había deslizado—. Me pregunto si esto podría encerarse.

Perry la miraba asombrado.

—Son las dos y media de la mañana. ¡Pensé que te habías caído por la ladera!

—No podía dormir —dijo Sammi inocentemente. Le ofreció su deslizador—. ¿Te gustaría probar?

"Corrección", pensó Perry, rectificando lo que había pensado antes. Él no tenía un lugar en el mismo planeta que ellos.

A la mañana siguiente, el campamento despertó bajo un cielo azul despejado que resplandecía sobre los treinta centímetros de nieve fresca que había en el suelo. La nevada había terminado. Dominic se apresuró a abrir la tienda para recibir el calor del sol. En su lugar, se encontró con el curtido rostro de Cícero ante él.

—Muy bien, se acabaron las vacaciones —aulló el líder del grupo—. Todos al gimnasio. ¡Tenemos que prepararnos para subir una montaña!

Tilt estaba furioso.

—No puedo creer que nos haya hecho hacer esto.

Cícero hizo una mueca de disgusto.

—Cambio de planes: primero cepíllense los dientes, después vayan al gimnasio.

Al final de ese día, otros dos candidatos al SummitQuest habían renunciado al entrenamiento y estaban camino al aeropuerto de Denver. Feliz era uno de ellos, ya sin su sonrisa. Sus palabras de despedida fueron: "Esto es demasiado duro. Es lo más duro que he hecho en mi vida".

Perry no había averiguado siquiera su verdadero nombre.

CAPÍTULO SEIS

La primera eliminatoria oficial estaba programada para el fin de semana. Todos sabían que se acercaba, pero ninguno sabía qué esperar. ¿Cícero te llamaría aparte para darte la mala noticia? ¿O sería Estornudo, o quizás la Dra. Oberman? ¿Lo anunciarían públicamente? ¿Te humillarían, haciendo que te levantaras de la mesa durante la cena? Quizás sería totalmente distinto: te despertarías por la mañana y ya todos se habrían ido a entrenar. Y, por supuesto, estaba la pregunta del millón: ¿A quién eliminarían?

Una cosa era segura: a medida que se acercaba el momento, la tensión aumentaba tanto que casi podía sentirse un zumbido en el centro de entrenamiento.

Tilt pensaba que él parecía el más nervioso de todos. ¿De qué se preocupaba? Era el mejor alpinista del grupo, haciendo a un lado a Ethan Zaph, que aún no había llegado. Sin embargo, a Tilt le preocupaban todas las discusiones con Cícero. No era que el dictador no se mereciera lo que le había dicho. El tipo estaba obsesionado con el mando y se divertía dándole todo tipo de órdenes a un grupo de muchachitos, pero quizás había sido estúpido molestar a la persona que haría la selección del equipo. Tilt no tendría nadie a quien culpar si lo eliminaban.

Y él necesitaba esto más que los otros. "Tilt Crowley, el alpinista más joven de la historia en conquistar el Everest. Compra este cereal para el desayuno; fue el que ayudó a Tilt Crowley a llegar a la cima del mundo. Harvard necesita a alguien como Tilt Crowley". ¿De qué otra manera podría entrar en una universidad de la Ivy League? ¿Tendría que pagar la matrícula repartiendo periódicos hasta morir, como había comprado sus crampones usados y el piolet con su mango magullado? Todos los otros muchachos tenían los mejores equipos del mundo. Para Tilt, esa era la definición de niño rico. No eran las mansiones ni los aviones privados que el tío de Perry probablemente tendría. Ricos eran los que escalaban montañas como un pasatiempo; un pasatiempo que no dependía de tener una segunda carrera repartiendo el *Cincinnati Inquirer* a lo largo de doce kilómetros cada día, ya fuera en medio de la nevisca o bajo un calor de treinta y ocho grados. Si llegaba a la cima, sólo él sabría que subir la montaña había sido la parte más fácil del ascenso.

Por supuesto, se daba cuenta de que no le

LA COMPETENCIA

caía bien a los demás. Sabía escalar con cuerdas y podía hacer alpinismo de gran altitud. Si hubiese tenido los mismos privilegios que ellos, también habría podido ser un tipo simpático. Quizás debió ser más amable. Quizás lo iban a eliminar ahora por sacar de sus casillas a los demás... por sacar de sus casillas a Cícero.

"Vamos, Cap, no me elimine. Soy el mejor alpinista que tiene aquí. ¡Y yo necesito ir a la expedición!"

El momento llegó finalmente tras un recorrido de cuarenta y cinco kilómetros en la nieve con todo el equipo a la espalda. Siete de los roperos que había en el cuarto de los equipos habían sido marcados con hojitas autoadhesivas amarillas. "Habla con Cap" era lo único que decían, pero todos supieron enseguida de qué se trataba. La guillotina había caído por primera vez.

Cuatro muchachos y tres muchachas se irían a casa. Sus sueños de subir al Everest habían terminado.

Increíblemente, Joey Tanuda era uno de los eliminados.

—No entiendo, tú te desayunabas los ejercicios de Cap —exclamó Bryn.

Joey sólo atinaba a mover la cabeza con incredulidad. Sammi también estaba sorprendida.

—Vamos, Perry lo logró y tú eres dos veces mejor que él.

—¿Qué? —dijo Perry ofendido.

—No es por ofenderte, pero es cierto —insistió Sammi—. ¿Por qué iba a eliminarlo a él y no a ti?

Joey estaba tan afligido que no lograba levantar la vista del piso.

—Hace un par de años, me fracturé la nariz escalando rocas y el cirujano ofreció hacerme una cirugía plástica durante la operación. Me pareció que no me vendría mal ser un poco más guapo, ¿verdad? Ahora Andrea dice que mis conductos nasales son demasiado estrechos para respirar bien en el aire enrarecido de las montañas.

—¿Y los tanques de oxígeno no te ayudan a respirar? —le preguntó Chris.

—No es suficiente —dijo Joey—. Se acabó.

—Y además, después de todo eso, sigues siendo feo —observó Tilt mientras arrojaba sus botas de escalar dentro del ropero.

—Yo también te quiero —murmuró Joey amargamente.

Chris se volvió hacia Tilt.

—Al tipo lo acaban de eliminar por algo que no es culpa suya. ¿No te parece que no es momento para hacer bromas?

Tilt encogió los hombros con indiferencia.

—¿Y quién te dijo que estoy bromeando?

Joey le clavó la mirada.

—¿Sabes lo que me haría sentir mucho mejor? Que tú fueras el próximo.

—Sueña con eso, nariz de goma —se burló Tilt—. Soy el mejor alpinista de este basurero.

—Quizás lo seas —dijo Joey—, pero eres un energúmeno presumido. En un equipo de alpinistas no hay lugar para alguien así.

Se puso su bolsa al hombro y se incorporó.

—Está bien, ódiame todo lo que quieras —le dijo Tilt—. A pesar de todo, soy el único que dice la verdad. Todos estos se portan como si fueran tus mejores amigos, pero no quieren aceptar que, por dentro, celebran lo sucedido. Eliminándote a ti, hay un puesto más en el equipo al que pueden aspirar.

La verdad que había en lo que decía Tilt produjo un embarazoso silencio. Joey había sido uno de los favoritos. Aunque fuera triste admitirlo, su salida le daba más oportunidades a los otros alpinistas.

—Oigan —dijo Joey más calmado—, no les guardo ningún resentimiento. Me mantendré al tanto de todo por la página de Internet y seguiré apoyándolos. Bueno, a casi todos —añadió, lanzándole una mirada desafiante a Tilt.

Estornudo entró en la habitación para grabar la despedida. Estaba casi tan desconsolado como Joey.

—Lo siento, muchacho. Sé que es duro, pero tengo que filmar esto para la página de Internet.

Joey sonrió sin entusiasmo.

—No te preocupes, Estornudo. Todos sabíamos cuáles eran las reglas antes de venir —dijo y, mientras la cámara seguía filmando, volteó a mirar a Chris—. Esta es mi insignia de alpinista de los Niños Exploradores —dijo, y mostró un desgastado pedazo de felpa—. Fue lo primero que gané subiendo montañas. Quiero que la dejen en la cima del Everest.

Chris aceptó la insignia.

—Si yo llego hasta allá, tú también llegarás —le prometió.

Y entonces quedaron diez aspirantes a subir al Everest en el Centro de Entrenamiento Deportivo de Summit.

Lo que ninguno de ellos sabía era que, durante la caminata, Cap Cícero había puesto ocho hojitas autoadhesivas, no siete. El otro eliminado había sido Dominic Alexis. Cícero había tomado la decisión de mala gana. El muchacho era un talentoso alpinista con una voluntad increíble y un valor sin límites, pero Cícero había pensado desde el inicio que el muchacho era demasiado joven y demasiado pequeño. Así que Dominic sería eliminado.

Más tarde, Cícero estaba en la oficina de la Dra. Oberman, examinando las radiografías del pecho de los candidatos que habían sido colocadas en una pantalla de observación. Era muy importante que los muchachos tuvieran buena capacidad pulmonar para subir al Everest, donde el aire contenía tan poco oxígeno.

Estaba observando con mirada aprobatoria aquellos saludables pulmones cuando Tony Devlin entró muy nervioso.

—Tienes que cambiar la lista de eliminados.

Cícero pareció sorprendido.

—¿Por qué? Perry sigue con vida... aunque no se note en su esfuerzo.

—No se trata de Perry —le explicó Devlin—. Has eliminado a todos los del concurso.

Cícero ajustó la luz de la pantalla de observación.

—Sí, y me pregunto por qué. El Everest no es un parque de diversiones, lo sabes bien. Uno no lleva turistas a ese sitio.

—El concurso despertó un gran interés en el SummitQuest —arguyó Devlin—. Los periódicos y las agencias de noticias están divulgando ya las noticias que ponemos en la página de Internet.

Es como la serie de televisión, *Survivor*. La gente quiere saber quiénes serán seleccionados. No se va a ver bien si todos los ganadores del concurso son eliminados en la primera etapa.

—Pues se verá peor si los dejamos muertos en la cascada de hielo de Khumbu —dijo Cícero cortante.

—No te digo que haya que incluirlos en el equipo final —le explicó Devlin—, sólo que mantengas a uno de ellos por unos días más para destacarlo en la página de Internet. Tienes que dar la impresión de que el concurso no fue una farsa... ya sabes, hacer ver que este muchacho tiene alguna posibilidad real de ir.

—Eso no es justo con el muchacho tampoco —señaló Cícero—. Estos entrenamientos no son ningún paseo.

—Haz lo que te digo —insistió Devlin—. Tú mejor que nadie sabes lo importante que es mantener contentos a los patrocinadores.

Era cierto. Los mejores alpinistas podían ver frustrados sus sueños si un patrocinador disgustado cortaba el suministro de comida y equipos.

—Está bien —dijo el jefe del equipo mientras observaba la radiografía de un escuálido cuerpo que sólo podía ser el de uno de los aspirantes. Pestañeó. Dominic Alexis era mucho más pequeño que los otros, pero tenía el pecho lleno de un tejido pulmonar oscuro y expandido que sería la envidia de cualquiera. "Será pequeño —pensó Cícero—, pero tiene el sistema respiratorio de un fisiculturista de un metro noventa".

—Dejaremos al pequeñín —dijo de repente—, pero sólo hasta la próxima eliminatoria. Después de eso, adiós.

—Gracias, Cap —dijo Devlin satisfecho, y salió a quitar la hojita autoadhesiva de la casilla de Dominic.

DIARIO MÉDICO: PERFILES PSICOLÓGICOS
Entrevista con Perry Noonan

Dra. Oberman: Pareces sorprendido de no haber sido eliminado en la primera etapa.

Perry: No, no estoy sorprendido. Soy tan buen alpinista como cualquiera de ellos, ¿no?

Dra. Oberman: ¿Qué crees tú?

Perry: He estado escalando desde los nueve años.

Dra. Oberman: ¿Con tu tío?

Perry: Sí.

Dra. Oberman: ¿Quieres escalar el monte Everest?

Perry: Cualquier alpinista...

Dra. Oberman: No cualquier alpinista. Tú. ¿Tú quieres escalar el monte Everest?

Perry: Sí.

Dra. Oberman: *¿Estás seguro de eso?*

Perry: *¿Qué quiere que le diga? ¿Que es completamente inútil? ¿Que si vas a gastar un montón de millones de dólares en algo que es prácticamente imposible, podrías dedicarlos a la cura del cáncer, acabar con las guerras o alimentar a los hambrientos? Bueno, olvídese de eso. La gente escala montañas, se acabó. Y la más grande es la que más deseos tienen de escalar.*

Dra. Oberman: *¿Y tú también?*

Perry: *Sí, por supuesto. ¿Por qué no?*

Dra. Oberman: *No he escuchado ninguna respuesta directa.*

Perry: *Yo no he escuchado ninguna pregunta directa.*

El jefe de cocina, alias Dormilón, acompañó a Cícero a ver el desastre que había en el comedor. El desayuno estaba desparramado por el suelo. A su alrededor había un millón de fragmentos de vasos y platos rotos. El jefe del equipo estaba lívido.

—¿Mis muchachos hicieron esto?

—A no ser que tengamos fantasmas —dijo Dormilón gravemente.

La Dra. Oberman intervino.

—He estado haciendo evaluaciones psicológicas de todos los muchachos. A lo mejor me equivoco, pero ninguno de ellos me pareció un vándalo.

—Al diablo con la psicología —dijo Cícero furioso—. ¡Es Tilt Crowley! ¡Mañana a primera hora se va de aquí!

La doctora se quedó pasmada.

—No puedes hacer eso, no tienes pruebas.

—¡La Corte Suprema necesitará pruebas! —rugió Cícero—. Aquí la ley soy yo. Pregúntale a cualquiera de los muchachos y te dirá que fue Tilt.

—Es un muchacho resentido —admitió la Dra. Oberman—. Y quizás haya buenas razones para mandarlo a casa, pero esta no es una de ellas. Para empezar, no creo que haya sido él. Y si yo llegase a tener razón, el verdadero culpable podría ser seleccionado para el equipo.

—¿Y qué hacemos con los platos rotos? —preguntó Dormilón.

Cícero sólo atinaba a negar con la cabeza.

—Cobrárselos a la expedición, me imagino —dijo, y se dirigió a la doctora—. El dinero no me importa. Lo que me preocupa es la distracción. No podemos perder de vista el objetivo. No si se trata del Everest. No cuando vamos a la Zona de la Muerte.

CAPÍTULO SIETE

Las eliminatorias cambiaron la atmósfera en el centro de entrenamiento. Cuando los candidatos eran veinte, el equipo final parecía algo remoto. Ahora eran diez compitiendo por cuatro puestos. Y aunque el primer lugar estaba reservado para Ethan Zaph, las probabilidades estaban mejorando. Los candidatos podían sentir sus crampones clavándose en el hielo azul de los glaciares del Everest. El premio mayor del alpinismo lentamente se iba poniendo a su alcance.

Nació un nuevo deporte, uno casi tan popular como el alpinismo: adivinar los ganadores.

Cameron Mackie era un experto.

—El chico de la zeta se lleva el primer puesto; Chris el segundo... eso es seguro.

—Y una de las chicas se lleva otro —señaló Dominic. Quedaban tres.

—Bryn —dijo Cameron—. Y sin embargo, no puedes descontar a Sammi. Está loca, pero es muy buena.

Dominic sacó la cuenta.

—Entonces queda un puesto para el resto de nosotros. Probablemente sea Tilt.

—Tilt es demasiado estúpido —dijo Cameron seriamente—. Va a tirar de los calzoncillos a Cap y lo van a expulsar. Así que, dependiendo del factor Perry, si me mantengo en la raya podría colarme en el equipo.

"El factor Perry" hacía referencia a la permanencia de Perry en la competencia mientras que a otros alpinistas mucho mejores que él los habían enviado ya al aeropuerto.

—A lo mejor Cap piensa que soy bueno escalando —trataba de explicar Perry, pero no sonaba muy convencido—. A lo mejor ustedes son los que están equivocados.

—A lo mejor Cap es tu tío rico —se burló Tilt.

Perry no le contestó. Muchas veces había soñado con tener un tío diferente, pero en su imaginación era un tipo que no tenía interés en escalar montañas y que creía que los Himalayas eran una cadena de dulcerías.

—El ambiente está muy raro —admitió Bryn ante la cámara de Estornudo durante una entrevista para la página de Internet—. Normalmente, los alpinistas son la gente más cordial de la tierra. Llevas a seis perfectos desconocidos a escalar El Capitán, y para el almuerzo ya son todos amigos. Aquí uno quiere ser agradable con la gente, pero algo dentro de ti te dice que si a ellos les va bien en el entrenamiento, podría costarte a ti el puesto.

En ningún caso era eso más cierto que con Bryn y Sammi. Ambas estaban convencidas de que sólo una muchacha entraría en el equipo. De modo que sentían que la competencia era entre ellas dos y la otra muchacha, que realmente no representaba ningún peligro. Su naciente amistad se enfrió. No es que fuesen enemigas, pero no confiaban la una en la otra.

Tombstone IV era un peñasco negro, no enorme, pero empinado y de extraña configuración: la subida más difícil, desde el punto de vista técnico, que los aspirantes habían enfrentado hasta el momento. La ruta requería que subieran a un risco llamado el Club y, al escalar su parte inferior, quedarían expuestos a una caída de treinta metros.

—Realmente peligroso —dijo Sammi.

—Estoy empezando a detestar esa frasecita —gruñó Bryn.

Bryn metió una leva de resorte en una grieta en la base del risco y vio cómo se expandía para asegurar el punto de protección. Sammi pasó una cuerda por la anilla y se desplazó para poner otro gancho. Mientras intentaba desplazarse para subir, el tobillo se le enredó en el lío de cuerdas. Bryn se acercó y trató de agarrar el pie de su compañera.

Se quedó inmóvil.

En lo alto del risco, las miradas de las dos muchachas se encontraron y el mensaje pasó de una a otra como si fueran radares: "Si te dejo aquí y voy a buscar ayuda, Cap te eliminaría por cometer un error de principiante y yo tendría garantizado mi lugar en el equipo".

El momento pasó tan rápido como había comenzado. Bryn entró finalmente en acción y zafó las cuerdas que se habían enredado alrededor del tobillo de Sammi. Las dos subieron a la cima del Club y tomaron un descanso, mirándose con recelo.

—¿Qué pasó? —dijo Sammi jadeando.

Bryn sólo se encogió de hombros, entristecida. Ayudar a otro alpinista debía ser una respuesta tan automática como la de un perro cuando va a buscar el palo que lanzas. ¿En qué las estaba convirtiendo esta competencia?

—Esto es tan falso —se quejó Sammi esa noche—. No vale la pena hacerlo por ninguna montaña.

—Por esta sí —dijo Dominic. Se había dado cuenta de que a medida que sus compañeros desconfiaban más unos de otros, se mostraban más abiertos con él. Eso quería decir que nadie, ni siquiera su hermano, pensaba que él tenía la más remota posibilidad de formar parte del equipo.

El mismo Dominic no esperaba durar mucho más.

El aire frío de las Rocosas rezumaba el olor de la competencia. Los ejercicios que antes hacían en seis horas los tenían que hacer en cinco. Todo se aceleraba a medida que los candidatos luchaban por llamar la atención de Cap Cícero.

Hasta el tiempo de descanso se volvía un torneo. Escalar rocas después del almuerzo se había convertido en una extensión del entrenamiento, aunque Cícero y sus guías no estuvieran observando. Era una verdadera obsesión.

Dominic escaló una roca de ocho metros, buscando puntos donde agarrarse, de la misma manera que un maestro de ajedrez analiza las debilidades de la defensa de un rival. En el otro lado del peñasco de diorita, Tilt trataba de trepar con movimientos fuertes y rítmicos. Dominic no lo veía, pero se lo podía imaginar. Sabía que cuando Tilt escalaba, usaba la boca tanto como los pies o las manos.

—¿Estás cansado, renacuajo? No me puedes ganar. Si buscas la cima, guíate por las suelas de mis botas...

—Tilt Crowley —dijo Perry con un suspiro, observando desde abajo—, el único alpinista al que le gusta provocar a sus compañeros.

En un monstruoso alarde de energía, Tilt llegó a la cima de un impulso y se irguió, golpeándose el pecho con los puños y aullando como Tarzán.

Desde más abajo, Dominic extendió una mano, palpando para encontrar un punto donde agarrarse en la cima del peñasco. Tilt puso su bota sobre aquellos dedos.

—De ninguna manera, renacuajo. Esta roca es mía.

Dominic no le respondió, pero no pensaba retirarse. La bota apretó un poco más.

—Oye, Tilt —dijo Perry desde abajo—, déjalo tranquilo.

—En cuanto se rinda —dijo Tilt, y presionó un poco más.

Dominic apretó los dientes, tratando de controlar el dolor. El ángulo de la roca le impedía ver a su torturador, pero podía imaginarse la odiosa expresión de triunfo de Tilt. Eso le daba aún más determinación para resistir.

Perry buscó a los otros con la vista y vio a Chris. Captó la atención del muchacho y lo hizo mirar hacia la pugna que se desarrollaba en la cima del peñasco. Chris se acercó trotando.

—Vamos, Tilt, déjalo subir.

—De ninguna manera —dijo Tilt—. Esta es mi cima, mi récord.

—¿De qué estás hablando? —le preguntó Perry—. La mitad de los muchachos han subido ese peñasco.

—Yo soy el más joven, eso es lo que cuenta —dijo Tilt testarudamente—. El renacuajo es más joven que yo, así que no va.

—¿Y así te vas a comportar en el Everest también? —lo increpó Chris.

Tilt se rió burlonamente.

—Nadie va a llevar a este mequetrefe al Everest.

Ahora Tilt estaba poniendo todo su peso sobre los dedos. Dominic veía las estrellas. Chris buscó un punto de apoyo para el pie y un lugar donde agarrarse.

—Si tengo que llegar hasta arriba, vas a bajar muy rápido y de cabeza.

—¿Tú crees? —le dijo Tilt desafiante.

Todd Messner se acercó corriendo en ese momento con una copia del *National Daily*.

—¡Oigan, muchachos, miren esto! ¡Salimos en el periódico!

Tilt apartó su bota de la mano de Dominic.

—Tuviste suerte, renacuajo. Mi público me espera.

Bajó sin esfuerzo y fue hacia donde estaba el grupo reunido alrededor de Todd.

El artículo ocupaba dos páginas de la sección deportiva bajo este titular:

DEL CAMPAMENTO DE VERANO AL CENTRO DE ENTRENAMIENTO
En unas semanas, el grupo más joven de la historia partirá a la conquista de la montaña más alta del mundo. ¿Serán los conflictos internos de los adolescentes una prueba más dura que el Everest?

—Un momento... —comenzó a protestar Chris.

El artículo era muy diferente al tipo de información que Estornudo ponía en la página de Internet. No decía prácticamente nada sobre el entrenamiento del SummitQuest o la expedición. En lugar de ello, estaba escrito como un episodio de televisión, hablaba de los hábitos personales, los detalles embarazosos y los pequeños conflictos entre los participantes. Y, en general, el artículo parecía preguntar: ¿Cómo podrán estos muchachos formar un equipo para sobrevivir en la Zona de la Muerte si no se ponen de acuerdo ni siquiera sobre quién va a ir primero al baño?.

—Oye, pero eso sólo sucedió una vez —exclamó Perry.

La cara de Chris parecía de piedra.

—¿Cómo se enteraron de todo eso?

De algún modo, el reportero del *National Daily* había descubierto que los padres de Bryn habían solicitado el divorcio y que la discusión sobre mandar a su hija al Everest había sido el tiro de gracia para el matrimonio en crisis. También se decía que Chris tenía problemas académicos que probablemente le harían repetir el curso. El hecho de que Sammi se escribía con su novio por correo electrónico era presentado como un escándalo. Según el artículo, cada dos oraciones ella decía, "Caleb hizo esto", "Caleb hizo aquello". La audaz atleta era presentada como una tonta enamorada.

Y había más: Cameron siempre estaba hablando por teléfono con su psiquiatra. Tilt era un pesado. Perry no era un buen alpinista. Dominic era demasiado joven y enclenque. Y Cap Cícero, el famoso alpinista guía de la expedición, era un autoritario inflexible cuya filosofía parecía ser: "Aquí se hace lo que yo digo y nada más".

—No me lo explico —exclamó Todd—. Es que, bueno, todo eso es cierto, pero... ¿cómo se enteraron?

—Obviamente —dijo Chris—, aquí hay un chivato. La pregunta es quién será.

LA COMPETENCIA

Tilt se encogió de hombros.

—Sencillo. Alguno de los eliminados se enojó y le fue con el cuento al periódico. ¿Qué importa eso?

—Para ti es fácil decir eso —dijo Todd—. A ti sólo te ponen de pesado, pero a Sammi le va a dar un ataque cuando vea esto.

—Por no hablar de Cap —añadió Perry.

—Cap es un energúmeno —rectificó Tilt—, pero está acostumbrado a la prensa.

Con el rabillo del ojo, vio a Dominic sentado con las piernas cruzadas en la cumbre del peñasco. El rostro del joven tenía una expresión de claro desafío.

—Tu hermano es un misterio —le informó Tilt a Chris.

—¿A mí me lo vas a decir?

Bryn salió corriendo de entre los árboles.

—Sammi encontró un problema enorme en el valle.

En la escalada de rocas, un "problema" era una roca grande y difícil de subir. "Resolverla" significaba escalarla.

Todos salieron corriendo tras Bryn, hasta Dominic, que tuvo que salir a toda velocidad para alcanzarlos después de bajar del peñasco.

En el amplio valle, casi oculto en un bosquecillo de pinos, estaba la más increíble formación rocosa que se pueda imaginar. Tenía una altura de tres pisos y parecía un gigantesco hongo que hubiese crecido sobre un pedestal inclinado. Mientras los demás observaban, Sammi Moon comenzó a ascender por el tronco del hongo. Perry la saludó, agitando una mano.

—¡Arriba, Sammi!

—¡Shhh! —dijeron los otros. Un verdadero alpinista jamás hacía nada que pudiera distraer a otro cuando estaba resolviendo un problema difícil.

Sammi llegó al "techo" y se agarró allí, a la sombra de la enorme roca que formaba la copa del hongo. Se extendía más de dos metros en todas las direcciones alrededor de ella. Palpó con su mano la pulida superficie de piedra caliza. Logró meter un dedo en una pequeña fisura y, colgada a ocho metros por encima de sus compañeros, buscó otro lugar donde agarrarse; pero no había nada.

Se detuvo un momento, analizando la roca, y comenzó a mecerse tratando de impulsar sus piernas más allá del borde de la copa del hongo para subir a la cima.

—No hagas eso —dijo Chris en voz baja.

—Por supuesto que lo va a hacer —susurró Tilt—. Que alguien traiga una escoba.

Sin embargo, Sammi se dio cuenta de que era

demasiado arriesgado y llevó su ligero cuerpo de vuelta al tronco del hongo para descender.

—No lo conseguiste —le dijo Tilt riendo.

—Tú tampoco vas a poder —repuso ella, hablando entre dientes.

Tenía razón. Primero Tilt y después Bryn y Todd intentaron sin éxito subir a la cima del hongo. Chris, que era el más alto, consiguió poner un pie por encima del borde, pero no halló nada de qué agarrarse y tuvo que retroceder. A Dominic le fue peor que a los demás. Como era tan pequeño, no alcanzó siquiera el agujero donde los otros habían metido un dedo para sujetarse, por lo que no pudo salir siquiera del tronco del hongo.

Cameron se rió mientras metía las manos en la bolsa de magnesia.

—Observen —dijo con una sonrisa— y tomen notas.

Había visto otro lugar más cerca del borde donde podría agarrarse. La fisura era más estrecha que la otra, pero logró meter dos dedos en ella.

Sucedió de repente. Vieron caer la pequeña nube de polvo al mismo tiempo que se desprendía un trozo de roca del borde de la grieta.

CAPÍTULO OCHO

Cameron cayó desde cinco metros de altura, moviendo las piernas desesperadamente, y fue a dar sobre el pedestal. Cayó como un saco de ladrillos y se quedó inmóvil, inconsciente.

Chris fue el primero en llegar al lugar donde estaba el herido.

—¡Busquen a Cap! —le dijo a los otros. Vio un hilo de sangre que salía de la boca de Cameron—. ¡Y a Andrea!

Bryn, que era la corredora más veloz del grupo, salió a toda velocidad hacia el centro de entrenamiento.

Sammi quería acercarse a Cameron, pero Chris la detuvo.

—No lo podemos mover —le advirtió—. Podría tener una fractura en el cuello.

Los muchachos no se dejaron dominar por el pánico. Su deporte estaba lleno de emociones, pero los errores podían ser fatales.

Todd se quitó sus gafas y las puso ante la nariz de Cameron. El cristal se nubló.

—Está respirando.

El rugido de un motor rompió el silencio

que reinaba en la montaña. Los candidatos al SummitQuest vieron que una camioneta atravesaba el valle en medio de una nube de nieve. Cuando se acercó un poco más, pudieron divisar a Cícero al volante. A su lado estaba la Dra. Oberman, y Estornudo y Bryn iban en el asiento trasero.

La doctora saltó del vehículo en marcha y corrió hacia donde estaba Cameron. Se quitó los guantes y levantó los párpados del muchacho para examinar sus pupilas. Después le tomó el pulso y les dijo a los nueve candidatos que estaban a su alrededor:

—Cambien esas caras tan trágicas. No está muerto, lo saben bien. Es una conmoción cerebral, me parece —añadió, examinando al paciente de pies a cabeza—. Y no me gusta nada como está ese tobillo.

Todas las miradas se dirigieron al pie derecho de Cameron. Nadie lo había notado antes, pero la bota estaba doblada en un ángulo extraño. Cícero frunció el ceño.

—Lo tiene fracturado. Tendrá que irse.

De algún modo, esa afirmación logró despertar a Cameron, que inmediatamente gritó:

—¡Nooo!

—No te muevas —le dijo la doctora—. Tengo una tablilla en la camioneta.

Cameron derramó amargas lágrimas de

desconsuelo mientras los tres guías inmovilizaban su pierna y lo colocaban en el asiento trasero del vehículo.

—¡Lo arruiné todo! —dijo con tristeza—. El Everest estaba tan cerca que lo veía en sueños.

—No estaba tan cerca —le dijo Tilt—. Eras el siguiente en la lista de los eliminados.

—Oye, Crowley —le dijo Estornudo con tono recriminatorio—, ¿nunca has pensado dedicarte a la diplomacia?

—Qué estúpido soy —gimió Cameron, cubriéndose la cara con las manos.

—¡No! —exclamó Sammi—. ¿No te das cuenta? Tenía que suceder así. Te vas cubierto de gloria, hiciste algo que nadie imaginó. ¡Es pura poesía! —dijo mientras se inclinaba y lo besaba en la frente.

—Eso no rima —fue el comentario de Tilt.

Cícero observó a los nueve candidatos restantes.

—Todo el mundo está bien, ¿verdad? Los accidentes suceden.

Perry pensó lo que su boca no se atrevía a decir: "Por supuesto que no estamos bien. Si esto sucede en el Everest, el resultado será mucho más grave que un tobillo fracturado y una pequeña conmoción. ¡Será una caída de mil trescientos metros por la ladera del Lhotse!".

Sin embargo, se limitó a murmurar su asentimiento como los demás.

—Cap, ya sé que no es el momento apropiado, pero ¿ha visto esto? —dijo Chris, dándole la copia del artículo del *National Daily* que había traído Todd.

—Ya lo he leído —dijo Cícero mientras cubría a Cameron con una frazada—. Espero que no vuelva a suceder, pero la verdad es que hay un espía que puede estar aún entre nosotros. Así que piénsenlo dos veces antes de contarle la historia de su vida a nadie. Recuerden: Summit Athletic está patrocinando esta expedición porque les da buena publicidad. Si comienzan a recibir mala publicidad, podrían retirar los fondos y cancelar la expedición. Entonces nadie iría al Everest.

—Y, por el amor de Dios, dígales que no se acerquen a estos peñascos —añadió la Dra. Oberman—. Especialmente este.

Cap encendió el motor de la camioneta, acallando el consejo de la doctora.

Eran dos palabras que jamás le diría a un alpinista: "No subas".

DIARIO MÉDICO: PERFILES PSICOLÓGICOS
Entrevista con Samantha Moon
Dra. Oberman: *Cuando le dijiste a Cameron que su accidente era pura poesía, ¿hablabas en serio?*

Sammi: *Si eres alpinista, eso es lo que eres. Tener un accidente tratando de resolver un problema difícil es tan natural como respirar. Si tienes que desistir, está bien; pero no puedes rendirte porque estés resfriado.*

Dra. Oberman: *Si Cameron hubiese caído de cabeza, estaría muerto. ¿Sería eso tan natural como respirar?*

Sammi: *¿Por qué preocuparse por algo que no sucedió?*

Dra. Oberman: *Hay gente que ha muerto en el Everest: 150 personas han perecido allí.*

Sammi: *Eso es lo que lo hace una experiencia peligrosa.*

Dra. Oberman: *¿No le tienes miedo a la muerte?*

Sammi: *No me voy a morir.*

Dra. Oberman: *¿Cómo sabes?*

Sammi: *No se preocupe por mí.*

Dra. Oberman: *Si la posibilidad de morir es lo que hace de esto una experiencia peligrosa, y tú estás segura de que no vas a morir, entonces no es tan peligrosa, ¿no es cierto?*

Sammi: *¿Miramos manchas de tinta o qué?*

LA COMPETENCIA

CAPÍTULO NUEVE

Sucedió poco antes de la medianoche.

La tranquilidad absoluta del centro de entrenamiento fue rota por un ruido ensordecedor. Todos se despertaron.

Cap Cícero, aún poniéndose sus pantalones de entrenar, entró como un bólido en el salón con la misma determinación que lo había hecho al subir el Matterhorn durante la famosa tormenta de nieve de 1998.

Perry se acercó a la entrada del cuarto que compartía con Tilt.

—¿Qué fue eso? —gruñó Cícero, acercándose a grandes zancadas por el pasillo. Estuvo a punto de chocar con Estornudo al doblar a toda velocidad por la esquina.

—¡Tranquilo! —exclamó el camarógrafo guía—. No hay heridos.

Cícero dirigió su mirada al armario de los utensilios de limpieza. La puerta estaba abierta, y los trapeadores, las escobas y los cubos estaban tirados por todas partes junto con la lejía y las botellas de detergente y cera para el piso.

Cícero recogió uno de los trapeadores y

avanzó por el pasillo golpeando en todas las puertas.

—Ustedes estarán acostumbrados a consejeros amables y psicólogos infantiles que creen que destruir la propiedad ajena es una manera desesperada de pedir ayuda, pero yo trabajo en un lugar donde no hay vandalismo porque hasta el último gramo de energía se tiene que dedicar a preservar la vida de uno mismo y la de sus compañeros. Si los de Summit me preguntaran hoy si mi equipo está listo para partir, les tendría que decir que no; porque un idiota que piense que es divertido desorganizar el armario de limpieza no tiene cabida en esta expedición. Y en dos semanas diré lo mismo y se acabará esta aventura. ¿No me creen lo que digo?

Lanzó el trapeador en el armario y salió bruscamente.

—Voy a despertar a los de mantenimiento —le dijo Estornudo.

En la penumbra de su cuarto, el rostro de Sammi Moon tenía una extraña expresión de desolación. Lo que la había alterado no era el discurso de Cap; ni siquiera la terrible posibilidad de que se cancelara la expedición.

Estaba mirando al otro lado de la habitación escasamente amueblada, a la cama de Bryn.

Su compañera no estaba en su cama.

*   *   *

Dominic se quedó tumbado en la cama un largo rato después de la conmoción, tratando de no pensar en lo sucedido para poderse dormir. Esto era una debilidad: en una expedición, la habilidad de descansar era tan importante como tener un buen piolet. Ahí estaba Chris para demostrarlo. En la otra cama, su hermano yacía como un tronco... se había dormido treinta segundos después de poner la cabeza en la almohada.

La débil luz roja del reloj digital que estaba en su mesita de noche marcaba las 2:11.

Decidido, se levantó de la cama, se puso unos *jeans*, una sudadera y una chaqueta de esquiar. Con sus botas en la mano, salió de puntillas del cuarto y fue por el pasillo en tinieblas hacia el cuarto de los equipos. No se arriesgó a encender ninguna luz: el cuarto de las casillas quedaba enfrente del puesto de vigilancia de la recepción, al otro lado del patio. Palpó con la mano el otro lado de la puerta hasta que sintió una linterna de casco. La sacó del gancho de la pared, se sentó en el suelo, se acordonó las botas y salió por la entrada lateral hacia la noche gélida.

Si Dominic hubiese encendido la luz del cuarto de los equipos, habría visto que habían puesto unas hojitas autoadhesivas, notas eliminatorias, como les decían ellos, en cuatro de las casillas. Una de ellas estaba en la casilla de Dominic.

Llegó hasta el promontorio y, cuando estuvo en un lugar donde no lo podían ver desde el edificio, encendió la lámpara. La luz iluminó el nevado terreno delante de él. Los árboles proyectaban sombras exageradamente alargadas, como misteriosas flechas que le indicaban el camino hacia el valle donde se encontraba el gran hongo de piedra. Ese había sido su destino desde que salió. Cuando Dominic se sentía inquieto, la respuesta era siempre la misma: "Ve y escala algo".

De pronto se detuvo y apagó la lámpara. Delante de él se veía el hongo iluminado. ¡Alguien había subido!

Ocultándose entre los árboles, Dominic siguió avanzando lentamente.

La camioneta estaba aparcada a diez metros de allí. En la parte trasera había un reflector iluminando el "problema". Suspendido de la copa del hongo, colgando de la grieta de la parte inferior, estaba Cap Cícero.

El primer impulso de Dominic fue regresar a toda carrera al centro de entrenamiento, pero en lugar de hacerlo se quedó clavado donde estaba. ¡Uno de los mejores alpinistas de Estados Unidos estaba escalando delante de él!

Observó con admiración cómo Cícero logró poner una bota en la fisura. Después, colgado de cabeza, creó literalmente un agarre en el aire metiendo el borde de su mano en una protuberancia de dos centímetros en la roca.

Dominic exhaló y se dio cuenta entonces de que había estado conteniendo el aliento. Era una operación brillante que requería una increíble fuerza en la muñeca. Quizás uno de cada cien alpinistas se habría dado cuenta de que era posible. Pensó, sin embargo, que Cícero estaba aún demasiado lejos del borde del hongo para poder subir a la parte superior. Aunque era una operación espectacular, no resolvería el problema.

Cícero retrocedió al tronco y comenzó a bajar. De repente se detuvo.

—¿Quién está ahí?

Por un instante, Dominic pensó en escapar. Por supuesto, no tenía derecho a estar ahí a esa hora, pero tuvo la sensación de que un verdadero alpinista lo entendería.

Salió a la luz.

Cícero estaba sorprendido, y no de buena manera.

—Alexis, ¿estás loco? Son las dos y media de la mañana... —dijo, pero se detuvo al pensar que el muchacho venía a confesarle algo. Bajó del empinado pedestal y se recostó en él para recobrar el aliento. Dominic se acercó, entrecerrando los ojos por el poderoso cono de luz que proyectaba el reflector.

—¿Qué te preocupa, muchacho? —le preguntó Cícero.

—No podía dormirme —admitió Dominic—. A veces mi cerebro comienza a dar vueltas y pienso en un millón de cosas, una tras otra. Esta noche pensaba y pensaba en esta roca, así que pensé que a lo mejor... no sé, que podía estudiarla o algo.

Cícero enrojeció de rabia.

—¡No te lo permito! Se supone que estás entrenando y...

Se detuvo en medio de la frase. Dominic ya no estaba en el entrenamiento. Cícero mismo había puesto la hoja autoadhesiva en la casilla del chico. ¿Para qué se iba a enojar ahora con él? Incluso si resultaba que Dominic era el vándalo del SummitQuest y el responsable de filtrar información al *National Daily*, mañana se iría. No importaba si sólo padecía de insomnio o de mucho más; estaba eliminado. Cícero inclinó su cabeza en dirección al peñasco.

—Es muy difícil —le confesó—, pero tratar de subirlo solo y en la oscuridad...

Como respuesta, Dominic sujetó la lámpara en su casco.

—Usted vino aquí solo —le dijo.

Cícero se tuvo que reír.

—¿Te parece que no tengo suficiente experiencia?

Dominic citó de memoria:

—"Verano de 1998: Cap Cícero asciende todos los picos importantes de los Alpes en seis semanas".

—Hacía buen tiempo —dijo el jefe del equipo con modestia.

Dominic subió al pedestal y ascendió por el tronco del hongo. Cícero miró al cielo exasperado.

—Pensé que estaba hablando en tu idioma, pero a ti te debió sonar a chino —dijo, pero no pudo evitar observar los movimientos precisos del muchacho mientras ascendía—. No vas a llegar al agarre. No tienes los brazos lo suficientemente largos. Mira...

Cícero subió al tronco para ofrecerle un apoyo al muchacho para que llegara hasta la hendidura.

Con un gruñido de agradecimiento, Dominic logró llegar a la grieta de la roca, apoyándose en la rodilla de Cícero. Después, con cuidado pero confiadamente, hizo la misma operación que había hecho antes el jefe del equipo.

Cuando quedó colgado de cabeza, el casco se le cayó y se estrelló contra el pedestal.

—¿Ves? —le dijo Cícero—. Si no fuera por mi reflector, ahora mismo estarías en una oscuridad absoluta. Y solo. Espera un momento y te ayudo a bajar.

—Yo puedo hacerlo solo.

No había ni una traza de jadeo en su voz. Lentamente, en un alarde de control muscular, Dominic hizo el movimiento inverso, pero en lugar de dejarse caer sobre el apoyo artificial que le ofrecían las rodillas de Cícero, se lanzó contra el tronco y se aferró a él, como si fuera el hombre araña.

Cícero, con los ojos abiertos, reprodujo en su mente el salto hacia atrás y la bajada. Por supuesto que no era imposible, acababa de verlo, pero era increíble que una persona del tamaño de Dominic tuviera la fuerza, por no hablar del valor, de intentar algo semejante.

—Sube a la camioneta —le dijo con tono áspero.

Mientras se alejaban en la camioneta, Cícero se dio cuenta de que Dominic no miró hacia adelante hasta que el peñasco se perdió de vista.

Cícero conducía con una sensación de incomodidad. Dominic estaba eliminado, acabado, fuera. Y sin embargo, el jefe del equipo no podía quitarse al muchacho de la cabeza.

"¿Será injusto dejar a este muchacho por más tiempo en el entrenamiento cuando no tiene la más mínima posibilidad de formar parte del equipo? ¿Será justo dejarlo aquí un poco más porque me cae bien y quiero ver lo que va a hacer mañana?"

A la mañana siguiente, cuando los nueve candidatos se levantaron, vieron sólo tres hojitas adhesivas en el cuarto de los equipos. Tres aspirantes más habían sido eliminados.

Dominic Alexis no era uno de ellos.

CAPÍTULO DIEZ

Chris, Bryn, Tilt, Sammi, Perry y Dominic aún estaban en el entrenamiento. Dondequiera que estuviera, Ethan Zaph era el séptimo. Para fines de mes, tres de ellos habrían regresado a casa.

El centro de entrenamiento de Summit, escenario de amistades instantáneas, animadas charlas y acaloradas discusiones, se había vuelto más silencioso que una tumba. A medida que la posibilidad de ascender el Everest se hacía más palpable, los candidatos se iban encerrando en sí mismos y concentrándose en el entrenamiento con una intensidad que sólo los atletas son capaces de entender.

Sammi lo explicó en una entrevista para la página de Internet.

—La semana pasada, todos nos ayudábamos para llegar a este punto. Ahora, de pronto, cada uno sólo piensa en sí mismo.

—Hay algo demasiado importante en juego para ser amable con los demás —agregó Tilt.

—Como si él supiera lo que es ser amable con nadie —murmuró Chris.

A pesar de ser favorito para integrar el equipo,

el siempre seguro y simpático Chris se sentía más presionado que nadie. Había visto a Ethan Zaph convertirse en una estrella del alpinismo con su ascenso al Everest. Ahora, finalmente, le había llegado el turno a él. Su arena del Mar Muerto podía ir camino a la cima del mundo.

—Mi hermano no me ha dirigido la palabra en tres días —dijo Dominic ante la cámara—, pero no importa; tampoco le habla a nadie más.

El mismo Tilt, siempre tan hablador, se esforzaba por no enfurecer a Cap ahora que el momento decisivo estaba tan cerca. Era también a causa del nerviosismo. Para él, esto no era una simple expedición; era su futuro. Si fallaba, tendría que volver a casa, a su ruta de periódicos, a ser otra vez un don nadie. ¿Quién sabe cuándo tendría otra oportunidad como esta?

De modo que mantenía la boca cerrada mientras Cap molía a todos con sus entrenamientos. ¿Carrera en ascenso? Buena idea, Cap. Por supuesto, el capataz de esclavos no le había dicho a nadie que lo harían en el pico Amethyst, una carrera por la empinada ladera de una montaña de cuatrocientos metros de altura. Ocho horas de ascenso devastador, más tres horas de descenso y, como si fuera poco, en la oscuridad. Sin lámparas en los cascos. Sin cuerdas. Nada. Cualquiera podría fracturarse una pierna y perder la oportunidad de subir a la única cima que importaba conquistar.

—Felicitaciones —les dijo Cícero al final, cuando todos estaban echados en el suelo jadeando—. Acaban de completar un día típico en los Himalayas.

Tilt sabía que no era así, sabía que habría cuerdas a lo largo de toda la ruta del Everest y que lo más parecido a un ascenso libre sería el recorrido por el camino de los yaks hasta llegar al campamento, pero no abrió la boca.

Y cuando tuvieron que esperar a Perry una hora, Tilt no dijo ni una sola palabra sobre el asunto. Sólo Cícero sabía por qué Perry aún no había sido eliminado cuando no era digno ni de llevarle los crampones a Tilt.

Las horas de la comida eran las peores. Como ninguno de los candidatos hablaba, Cícero tenía todo el tiempo del mundo para contar las aburridas historias de su carrera como alpinista. "¿Les he contado sobre aquella vez en Gasherbrum...?" "Una vez, cuando estaba escalando en los Andes y hubo una avalancha..." "Jamás olvidaré la noche en que quedé atrapado en un glaciar en el monte Vison en la Antártica..."

Los otros parecían disfrutar con aquellos estúpidos cuentos de alpinismo, sobre todo Dominic. Los ojos del renacuajo se iluminaban cada vez que Cícero abría la boca. Hasta Tilt tenía que admitir que los Grandes Éxitos de Cícero eran mejores que tener que escuchar los chistes tontos de Estornudo o las preguntas capciosas de la Dra. Oberman: "¿Y qué te hace sentir eso?".

"Me hace sentir como si quisiera que te callaras la boca".

Para reducir el riesgo de explotar delante de Cícero o de sus guías, Tilt tenía que concentrarse en las tareas de la escuela. En el centro de entrenamiento había un laboratorio de computación en el que los aspirantes al Everest podían recibir sus clases por Internet. En esos días todos dedicaban bastante tiempo a las clases. Era una manera de evitar las conversaciones. Incluso Chris, el peor estudiante del grupo, se había convertido de pronto en un niño aplicado. Y no era que Chris fuera a tener ningún problema para conseguir una beca en cualquier universidad del país. A Cícero le caía muy bien. Subiría al Everest, eso era seguro, pero no sería el más joven. No si dependía de Tilt Crowley.

Tilt metió la pata delante de Cícero sólo una vez. Había sucedido el día anterior durante el ascenso. En la ladera de la montaña, a poca altura, había un despeñadero empinado a través de una grieta en la caliza: era casi un túnel vertical en la ruta. No era muy difícil para un verdadero alpinista, pero Perry estaba obsesionado con sus cuerdas, mosquetones y pitones. El chico quería poner cuerdas hasta en las escaleras.

Pasó el túnel sin dificultades, pero cuando llegó al final se quedó petrificado. Una de dos: o no hallaba donde poner el pie o no lograba exponer su cuerpo al aire libre.

Cícero estaba como a unos siete metros de distancia, hablando con Estornudo, que estaba filmando la maniobra para la página de Internet. Tilt hubiese podido agarrar a Perry por el cuello del abrigo y sacarlo, pero ¿no era lógico dejar que Cícero viera que tenía en el equipo a un alpinista que era demasiado torpe o demasiado cobarde para ejecutar una maniobra básica de alpinismo?

Cícero se dio cuenta inmediatamente de lo que sucedía.

—Ayúdalo, Crowley.

Tilt pudo haberlo ayudado inmediatamente, de haberlo hecho, nadie se habría dado cuenta de lo sucedido, pero en ese momento lo dominó la frustración, la rabia de que alguien o algo estuviera protegiendo a este mediocre alpinista de ser eliminado, algo que debería haber sucedido semanas antes. Y Tilt no se pudo contener:

—Quizás debería pedirle a su ángel de la guarda que viniera a salvarlo.

El jefe del equipo le clavó la mirada.

—¡Te dije que lo ayudaras!

Entonces Tilt agarró a Perry. El joven pelirrojo se apartó.

—Gracias.

Tilt no respondió. La expresión en la cara de Cícero le provocó rabia y miedo, era una mirada que ya había visto varias veces y que parecía decirle: "Estoy tomando nota y la vas a pagar".

Esa noche, para no encontrarse con Cícero, estudió tanto para el examen de ciencias que sacó un 10. Si no iba al Everest, pensó, al menos se convertiría en un genio en el proceso. Y en un ermitaño.

Ese era su plan. Se mantendría callado. Hablaría únicamente si le hablaban. Y rezaría.

DIARIO MÉDICO: PERFILES PSICOLÓGICOS
Entrevista con Norman Crowley

Dra. Oberman: *Tilt, ¿ese es tu apodo de alpinista?*

Tilt: *No, doctora. Me pusieron ese apodo porque me encantaba jugar en las antiguas máquinas de pinball.*

Dra. Oberman: *¿El alpinismo es un deporte tradicional en la familia Crowley?*

Tilt: *A mis padres no les gustan los deportes.*

Dra. Oberman: *Pero a ti sí.*

Tilt: *Sólo el alpinismo. Es mi vida. No soy nada sin este deporte.*

Dra. Oberman: *¿Y qué opinas de la expedición al Everest? ¿Piensas que te clasificarás para el equipo?*

Tilt: *Eso espero. Cuento con eso.*

Dra. Oberman: *¿Cuál es tu actitud respecto al resto de los alpinistas que están aquí?*

Tilt: *Son magníficos. Quiero formar parte del equipo, pero les deseo buena suerte a todos.*

Dra. Oberman: *¿Estaré hablando con el verdadero Tilt Crowley?*

Tilt: *¿Qué quiere decir?*

Dra. Oberman: *Lo que se dice de ti aquí es que tratas mal a los demás, que eres huraño y que no cooperas...*

Tilt: *Lo entiendo. De veras, lo entiendo. El alpinismo es un deporte muy intenso, y enfrentarse a un grupo de muchachos tan competitivos como estos... ¿quién no se sentiría intimidado por tipos como Chris Alexis y Ethan Zaph? Sí, me imagino que a veces doy la impresión de ser muy agresivo... ¿Cree que debería disculparme con los otros muchachos?*

LA COMPETENCIA

CAPÍTULO ONCE

¡Bam!

Bryn se despertó de la manera habitual, de la manera que ya temía. Primero se sintió empantanada en un estado de aturdimiento, seguido por un sentimiento de horror. Horror de que hubiese vuelto a suceder.

Allí estaba, en pijama y sin zapatos en la sala del televisor, rodeada de fragmentos de cristal. La vitrina de los trofeos estaba destrozada. La escultura esquimal de piedra yacía quebrada donde había caído al ser lanzada contra la puerta. Donde ella la había lanzado...

—¿Qué pasa ahí?

La voz de Cícero la hizo entrar en acción. Corrió, tratando de no pisar los fragmentos de cristal.

Se sintió una conmoción en el pasillo del dormitorio. Las puertas se abrían. Se escuchaban voces. Sintió que el pánico la dominaba. No podría regresar a su habitación sin que nadie la viera.

"¡No dejes que te descubran ahora, cuando estás a punto de lograrlo!"

EL EVEREST

¡La lavandería! Salió por la puerta de la lavandería a toda velocidad.

"¡Eso fue una estupidez! Podrían ir a revisar allí".

Sintiendo que aquella absurda situación se le iba de las manos, se metió en la inmensa secadora y cerró la puerta casi completamente tras ella.

Escuchó entonces unos sonidos familiares: pasos acompañados de voces soñolientas; las imprecaciones de Cícero. No entendía lo que decía, pero el mensaje era obvio: si descubría quién había hecho aquello...

"¡Pero no era vandalismo!"

La clave era escoger el momento preciso: después de que los muchachos regresaran a sus cuartos y antes de que los de mantenimiento llegaran a limpiar el desastre. ¡Esa era la estúpida destreza que tenía que aprender!

"¡Agradece que nadie haya venido a lavar la ropa a medianoche!" Salió hacia el pasillo, apenas atreviéndose a tocar el suelo con sus pies. Sus ojos estaban clavados como rayos láser en la puerta del cuarto que compartía con Sammi. Era un hábito de alpinista: no quitar nunca los ojos del punto que querías alcanzar, concentrarse en la cima siguiente, la siguiente cornisa, el siguiente campamento.

LA COMPETENCIA

Se detuvo un momento, tratando de calmar el galope de su corazón mientras esperaba a que sus ojos se adaptaran a la oscuridad. Lo había logrado. Una vez más lo había conseguido.

La luz se encendió entonces y vio que Sammi la miraba fijamente.

—Tenemos que hablar.

—Alguien lanzó el iglú negro contra la vitrina de los trofeos —le explicó Bryn, tratando de controlar el pánico—. Se destrozó.

—Ya lo sé —dijo Sammi—. Mejor busca un cepillo y péinate: tienes fragmentos de vidrio en el pelo.

Tan pronto escuchó esas palabras, Bryn supo que todo había terminado; que la escultura había destrozado su sueño de subir al Everest como ella había destrozado la vitrina de los trofeos. Tendría que regresar a casa... pero ¿era aquello su casa? ¿Un lugar donde vería a sus padres pelear por medio de abogados para tratar de repartirse sus posesiones, una de las cuales era ella misma? Lo irónico era que sus padres, que habían peleado tanto por lo del SummitQuest, no vivirían felices para siempre porque a ella la iban a eliminar. Sammi agarró el teléfono de la mesita de noche.

—Habla Sammi Moon. ¿Podría pedirle a Cap que venga al cuarto catorce? Gracias. —Se dirigió a Bryn—. Antes de que él llegue, contéstame una pregunta. ¿Por qué lo hiciste? ¿Qué ganas con esto? Yo soy buena alpinista, pero tú eres mejor. Tenías el puesto asegurado. ¿Por qué desperdiciar una oportunidad como esta sólo por romper unos cristales?

Bryn estaba tan devastada que no lograba levantar la vista para mirar a su compañera. Le respondió como si estuviese hablando con la alfombra.

—A los cinco años de edad comencé a tener problemas de sonambulismo. Ni siquiera lo recuerdo. Lo único que recuerdo es todo lo que sucedía a causa de ello; las ventanas que rompía, las escaleras por las que me caía, el médico que comenzó a tratarme. Ni siquiera estoy segura de cuándo dejó de suceder: sólo sé que en algún momento cesó. Todo eso era historia antigua, hasta que llegué aquí. Créeme, en un momento estoy en la cama y un instante después me despierto en medio de un desastre: los platos rotos, los fragmentos de una lámpara, un lío de trapeadores y cubos. Y no puedo recordar cómo llegué hasta allí.

Sammi la miraba con los ojos desorbitados.

—¡Tienes que decírselo a Cap! ¡Una alpinista sonámbula! Aquí el problema es una vitrina rota, en el Everest sería una caída por un precipicio de tres mil metros.

Bryn trató de explicarle:

—No me entiendes. Esto no es mi vida normal. Es un centro de entrenamiento. Es como vivir en una olla de presión. Estoy segura de que no habrá más problemas de sonambulismo cuando salga de aquí.

—¿Y si no es así?

—Así será. Este lugar es horrible: la presión, la competencia, la consciencia de que están observando cada paso que das. Haces amigos y después les tienes que pasar por encima antes de que ellos te pasen por encima a ti.

—A mí me encanta escalar —le dijo Sammi—, pero esto no es vida. Cuando esto termine, todos seremos como Tilt.

—Sí, pero cuando se elija el equipo final, todo volverá a la normalidad —insistió Bryn—. Y yo sé que entonces no volveré a levantarme dormida en medio de la noche.

Sammi se quedó en silencio por un rato.

—Yo quiero ganar ese puesto —dijo finalmente—, pero no de esta manera.

—Las dos podemos ganarlo —respondió Bryn—. No será fácil, pero es posible. O quizás te elijan a ti en vez de a mí. Cap es impredecible. ¿Quién sabe lo que le pasa por la mente? Perry y Dominic aún están aquí. ¿Quién lo hubiese creído?

Se sintió un golpe en la puerta.

—¿Qué pasa aquí? —dijo la voz áspera de Cícero—. ¿Están bien?

Sammi y Bryn se miraron a los ojos. Tomaron su decisión en un instante.

—¿Todo está bien, Cap? —dijo Sammi.

—Podrías haberme preguntado eso por teléfono —rugió la voz de Cap.

—Lo siento —se disculpó Sammi—. ¿Pudo descubrir quién rompió la vitrina?

—¿Y terminar la diversión tan pronto? —replicó Cap enojado—. No, le quiero dar a esa persona la oportunidad de hacer travesuras en la cascada de hielo de Khumbu. Ahora duérmanse.

Escucharon los pasos que se alejaban de la puerta.

Bryn tenía los ojos arrasados de lágrimas.

—No puedo creer que hayas hecho eso por mí.

—Yo tampoco —le dijo Sammi Moon.

CAPÍTULO DOCE

DIARIO MÉDICO: PERFILES PSICOLÓGICOS
Entrevista con Cap Cícero

Cícero: *Por favor, Andrea, ¿de veras hay que hacer esto? No soy un muchacho.*

Dra. Oberman: *Te escuché hablando en esa conferencia telefónica de tres horas. Se podía oír desde Denver.*

Cícero: *A veces me emociono.*

Dra. Oberman: *La eliminatoria final es el viernes. Creo que estabas haciendo un esfuerzo final para deshacerte de cierto alpinista.*

Cícero: *No lo quiero en el equipo. El muchacho mismo no quiere ir. Prácticamente les dije que la expedición dependía de eso.*

Dra. Oberman: *Hiciste lo posible.*

Cícero: *Desde el inicio dije que no llevaría a un alpinista inepto a esa montaña, que antes de hacer semejante cosa suspendería la expedición. ¿Crees que es fácil admitir que no eres tan honrado como creías ser?*

Dra. Oberman: *¿Qué quieres decir?*

Cícero: *Un muchacho de quince años podría*

EL EVEREST

morir en el otro extremo del mundo, lejos de su familia y de todo lo que conoce. Yo podría prevenirlo, pero parece que lo único que me importa es tener otra oportunidad de subir al Everest.

Dra. Oberman: *Ese muchacho de quince años tendrá el mejor guía del mundo. Si alguien puede llevar a Perry a la cima eres tú.*

Cícero: *Ningún guía puede evitar que alguien padezca el mal de montaña o que le caiga un bloque de hielo encima.*

Dra. Oberman: *Esos son actos de Dios. Tendrían el mismo efecto en el mejor alpinista del mundo. Los de Summit te eligieron a ti porque eres el mejor, porque saben que contigo los muchachos estarán tan seguros como es posible estarlo en un pico de los Himalayas.*

Cícero: *Está bien, pero no me preguntes cómo me siento al respecto.*

Dra. Oberman: *En cualquier caso, esto te ahorra trabajo. Es un puesto menos que tienes que elegir. ¿Estarás listo para anunciar el equipo el viernes?*

Cícero: *Estoy listo ya.*

El equipo final se anunció el miércoles por la tarde, con dos días de antelación. Ethan Zaph,

Christian Alexis, Bryn Fiedler y Perry Noonan. Sammi Moon, Tilt Crowley y Dominic Alexis quedaron eliminados.

Nunca era fácil decirle a un alpinista, joven o viejo, que no era lo suficientemente bueno para una expedición, pero Cícero realmente deseaba decírselo a Tilt. Incluso había preparado su discurso: "Eres un gran alpinista, pero una mala persona. No te pondría en mi equipo aunque fueras el último muchacho del mundo".

Pero cuando llegó el momento, el Tilt que se sentó al otro lado del escritorio no era el guapetón egoísta que Cícero conocía y detestaba. Era sólo un muchachito de catorce años desconsolado al ver que se le escapaba el sueño de su vida.

—Crowley, te falta mucho por madurar —fue todo lo que Cícero logró decir—. Siento mucho que no formes parte del equipo.

Tilt salió de la oficina arrastrando los pies, sorprendido y devastado, y se dirigió a su cuarto para empacar.

Era demasiado tarde para llegar a Denver a tiempo para el vuelo de la tarde, de modo que Sammi, Tilt y Dominic no se irían hasta la mañana siguiente. La última noche en el centro de entrenamiento no sería muy divertida para ellos.

Tilt no fue a la cena. Sammi y Dominic sí

fueron, pero no tenían mucho apetito. Ninguno de los dos había tenido mucha esperanza de formar parte del equipo, pero aun así se sentían desconsolados.

—Esta noche voy a dormir en el cuarto de la televisión —dijo Perry—. Tilt podría estrangularme en la cama.

Perry estaba aún más desconcertado que Tilt. La noticia de que había sido seleccionado para la expedición al Everest lo había sorprendido completamente. Por supuesto, a medida que sobrevivía cada eliminatoria era obvio que algo, más allá del talento, lo protegía de ser eliminado, pero nunca esperó que el asunto llegara tan lejos. Como sucede en el momento de una pesadilla en que te das cuenta de que te despertarás antes de que llegue la peor parte, siempre había confiado en que Cícero le pusiera fin a esto. Y ahora se daba cuenta de que tendría que escalar una montaña mortalmente peligrosa.

Esa noche estaba sentado en el cuarto de la televisión, cambiando canales en los que retransmitían viejos programas, cuando entró la Dra. Oberman.

—Estás en un entrenamiento, Perry. Deberías estar en la cama durmiendo.

—Así es —dijo Perry—. Ya me iba a acostar.

Lo observó detenidamente.

LA COMPETENCIA

—Y felicitaciones.

Por un momento, pareció como si le hubiese hablado en chino. Entonces Perry respondió:

—Gracias, Andrea, muchas gracias.

Andrea se quedó en silencio un instante.

—Sabes, Perry, nadie te puede forzar a hacer algo que tú no quieras hacer.

Perry asintió lentamente.

—Buenas noches.

Evidentemente, ella no conocía al tío Joe.

Si Perry había temido una escena de rabia, abusos y maltratos, se había equivocado. En realidad, Tilt ya estaba en la cama y ni siquiera le dirigió la palabra.

Durante toda la noche, Perry escuchó sus sollozos contenidos desde el otro lado de la habitación. Y si Tilt no hubiese estado tan ensimismado con su propia frustración, hubiese podido oír sonidos similares en el lado de Perry.

Era una curiosa paradoja que uno de los muchachos del cuarto llorara porque no iría a la expedición y que el otro lo hiciera porque tendría que ir.

Dominic cerró la cremallera de su bolsa y se la echó al hombro.

—Te veré en unos días —le dijo a Chris.

Al día siguiente, los miembros del equipo

volarían a las montañas de Alaska para un ascenso de práctica. Después de eso, volverían a sus casas por tres semanas para descansar y prepararse para el viaje a Katmandú y la gran aventura.

Chris le puso el brazo por encima de los hombros a su hermano.

—Lo sé, Dom. Me parecía una locura cuando te veía coleccionando todas aquellas envolturas y tapas de botellas, pero estoy feliz de que hayas estado aquí conmigo. ¿Quieres que lleve algo tuyo al Everest?

Dominic sonrió tristemente.

—Sí... a mí.

—Tú tendrás tu oportunidad —le prometió Chris—. Eres un gran alpinista. No te falta nada que no vayas a adquirir con el tiempo. No culpes a Cap.

Dominic pareció sorprendido.

—Entrenar con Cap Cícero ha sido la mejor experiencia de mi vida. Jamás olvidaré este mes —dijo mientras abría la puerta—. Tengo que tomar el avión.

Afuera, Bryn estaba ayudando a Sammi a poner su equipaje en la camioneta.

—Le dicen descenso de barrancos —le estaba explicando entusiasmada—. Caleb lo hizo el año pasado en las Rocosas de Canadá. Usas esquíes, pero no se trata de esquiar realmente, tienes que saltar de un área cubierta de nieve a otra. Si caes sobre las rocas puede ser terrible. Es un deporte realmente peligroso.

Bryn estaba a punto de echarse a llorar.

—Jamás olvidaré lo que hiciste por mí.

Sammi se encogió de hombros.

—Ustedes los alpinistas están obsesionados con las montañas. Hay muchas otras aventuras. Ya buscaré algo emocionante que hacer —le dijo a su compañera, abrazándola—. Duerme tranquila.

—Lo haré —prometió Bryn.

Tilt ya estaba en la camioneta, mirando fijamente hacia adelante, con expresión de rabia contenida. No se despidió de nadie y nadie se despidió de él.

La cámara de Estornudo filmó el momento en que Sammi y Dominic cerraron la puerta. La toma quedó movida y desenfocada. Para el camarógrafo, el momento en que se iban los eliminados era siempre difícil. Y, lo que era peor, Lenny Tkakzuk manejaría la camioneta hasta Denver. De modo que estaría con los alpinistas eliminados hasta que tomaran el avión. Sería una agonía para el bondadoso guía.

El viaje fue demoledor: dos horas rodeados de montañas, que era lo menos que un alpinista al que acababan de eliminar de una expedición querría ver. Dominic trató de imaginar un paisaje de Kansas o quizás de Nebraska, pero la tortuosa autopista de Colorado le mostraba picos y picos nevados, recordándoles a los alpinistas lo que habían estado a punto de lograr y se les había escapado de las manos.

Iban escuchando los resultados y análisis de los partidos que daban en la estación de radio deportiva que tenía puesta el guía, junto con los sonidos casi inaudibles que se escapaban de los audífonos de Sammi. Más allá de eso, lo único que se escuchaba en la camioneta era la respiración de Tilt, a un ritmo normal, pero demasiado profunda, como la de un toro a punto de embestir.

Tilt estalló cuando llevaban alrededor de una hora de viaje. Con un único movimiento sacó el casete de la reproductora y lo lanzó por la ventanilla.

—¡Oye! Era mi casete de Garbage.

—Pues ahora es un animal muerto en la carretera.

Dominic se quitó el cinturón de seguridad y se sentó entre los dos.

—La vas a pagar —dijo Sammi enojada.

—¿Y quién va a hacérmela pagar? —preguntó Tilt en tono burlón—. ¿El renacuajo?

LA COMPETENCIA

—Dejen eso ya —les dijo Estornudo, tratando de atender a la carretera y a los chicos al mismo tiempo—. Ya sé que este no es un viaje agradable...

Sammi, furiosa, le clavó la mirada a Tilt.

—¿Crees que porque soy mujer no te puedo sacar por la ventanilla trasera?

Tilt parecía disfrutar la oportunidad de descargar su rabia.

—¿Y tú crees que porque eres mujer no deseo que lo intentes?

—Déjala tranquila —le ordenó Dominic.

—¡Cállate! —le ordenaron los otros dos.

Estornudo salió de la carretera y detuvo la camioneta sobre la grava. Se volvió hacia el asiento trasero.

—¡Dejen de pelear!

Se quedaron por un momento en silencio. Nadie había escuchado al amable Estornudo levantar la voz. Fue en ese instante que dieron la noticia en la estación de radio:

"Hoy se ha confirmado que Ethan Zaph, el adolescente que conquistó el Everest el año pasado, se ha retirado del equipo de la expedición SummitQuest de Summit Athletic. En su deseo de experimentar nuevas aventuras, Zaph se ha unido a la expedición This Way Up, un equipo de alpinistas que está planeando hacer un doble ascenso al Everest y al cercano Lhotse. Zaph, el alpinista más joven del mundo en conquistar la cima más alta de la Tierra, ha prometido hacer el ascenso de este año sin tanques de oxígeno".

Todos se quedaron petrificados. La noticia era tan sorprendente que los dejó desorientados. Los cuatro viajeros ni siquiera recordaban sobre qué habían estado discutiendo unos segundos antes. El equipo final ahora estaba incompleto.

El teléfono celular de Estornudo comenzó a sonar, pero él no contestó. Entonces volvió a sonar.

—Contesta —le dijo Tilt.

La conversación fue breve.

—Está bien, Cap.

Estornudo hizo un cambio de sentido en la autopista. Iban ya a ciento diez kilómetros por hora cuando la rueda delantera aplastó el casete de Garbage de Sammi.

CAPÍTULO TRECE

Cap Cícero hablaba a gritos.

—¿Que quieres que yo qué?

Tony Devlin trató de calmarlo.

—Cuando Ethan Zaph renunció a la expedición, perdimos a la estrella del equipo, el tipo que iba a llamar la atención de los medios. La única manera que tenemos de recobrarla es rompiendo su récord, llevar al chico más joven que haya ascendido al Everest. O a la muchacha más joven. O a ambos.

—Está bien —dijo Cícero—. Si alguien puede hacerlo es Bryn. Ella tiene madera para subir a los Himalayas.

—Queremos a alguien que nos garantice el éxito —insistió Devlin—. O al menos que sea la apuesta más segura. Tenemos que reforzar el equipo con gente capaz de conectar el jonrón.

—Llevaré a Sammi Moon en el lugar de Zaph —dijo Cícero—. De todas formas, no tenía ningún deseo de sacarla del equipo.

—¿Y Tilt Crowley? —preguntó Devlin—. Es casi la garantía de romper el récord.

—La única garantía que él puede darnos es

que está loco —replicó Cícero—. Allá arriba vi-viremos juntos todo el tiempo. Cualquier distrac-ción puede ser mortal... y no estoy hablando en sentido figurado.

—El consejo de dirección opina que debes darle otra oportunidad.

—Está bien, lo aceptaré de vuelta —dijo Cícero desafiante—, en sustitución de Perry Noonan.

Devlin no dudó un instante.

—Perry tiene que ir de todas formas.

—Bueno, pues no voy a aceptar a Crowley en lugar de Moon.

—No tienes que hacerlo —dijo Devlin—. Él reemplazará a Chris Alexis.

Cícero se levantó tan violentamente que lanzó la silla al piso.

—Chris Alexis es el mejor alpinista que tengo en el equipo. Lo necesito. Será como tener un guía adicional en el Everest.

Devlin no cedió.

—No puede romper el récord. No podemos dedicar nuestros recursos a llevar a un mucha-cho que no llamará la atención que necesitamos. Como compañero de Ethan Zaph era perfecto, pero las reglas han cambiado. No nos es útil.

Cícero respiró profundamente después de es-cuchar a Devlin. Por una parte, deseaba estallar y defender la expedición y al pobre Chris; pero Cícero llevaba demasiado tiempo escalando para no saber cómo eran las cosas. Poner un alpinista en la cima del Everest costaba un montón de dinero. Ningún patrocinador donaba esa cantidad de dinero por puro amor al alpinismo. Lo hacían por la gloria, el prestigio y, sobre todo, la publicidad. Si los de Summit querían un récord, Cícero tenía que intentar lograrlo, aunque pensara que era una estupidez.

—Me sorprende que no me hayas pedido que lleve a Dominic —dijo con resentimiento—. El chico casi está en pañales.

—Pensamos en él —dijo Devlin seriamente—. Llevar un chico de trece años sería un tremendo éxito, pero al final pensamos que era demasiado pequeño. No tendría muchas probabilidades de llegar, no como Tilt.

Aun así, Cícero no quería comprometerse. Devlin seguía protestando cuando el guía lo acompañó hasta la puerta de la oficina.

—No te preocupes —le aseguró Cícero—, mañana estaremos listos para partir hacia Alaska.

—¿Con qué muchachos? —insistió Devlin.

—Lo sabrás tan pronto como yo lo sepa.

Cícero pasó el día en una nebulosa. Había guiado docenas de expediciones llenas de clientes ricos y poderosos que habían pagado dece-

nas de miles de dólares para subir al Everest o
a alguno de los otros picos de ocho mil metros.
¡Ah, los conflictos! ¡Los egos! Y sin embargo, ninguna de aquellas expediciones le había dado los
dolores de cabeza que esta le estaba dando.

En resumen: todos sus instintos le indicaban
que no debía llevar a Perry Noonan ni a Tilt
Crowley. Ya estaba obligado a llevar a Perry. Y
ahora parecía que tendría que llevar a Tilt también. Pensó en los muchachos que habían sido
eliminados antes. Tenía que haber alguno entre
ellos que fuera lo suficientemente joven y hábil
para llevar en lugar de Tilt.

Después de veintisiete días de entrenamiento continuo, en el centro de entrenamiento de Summit
había tiempo para descansar, mucho tiempo
para descansar. La camioneta que llevaba a los
tres muchachos que habían sido eliminados regresó. No vieron a nadie escalando, explorando
o haciendo ejercicios: sólo había una gran con-
fusión. El equipo final estaba seleccionado... ¿o
no? ¿Qué pasaba?

Los viajeros explicaron lo que pasaba: el famoso Ethan Zaph había renunciado a la expedición.

Al principio, los seis esperaban tener más
noticias, pero la puerta de la oficina de Cícero

seguía cerrada. Finalmente, Estornudo y la Dra. Oberman los sacaron de allí. Nadie fue al gimnasio ni al muro de escalar bajo techo. Nadie podía concentrarse en nada que no fuera la interrogante del momento. Se pusieron a vagabundear por la instalación como turistas, observándolo todo como si fuera la primera vez que visitaran el lugar.

Excepto Dominic.

Cícero aún estaba en su oficina cuando vio al muchacho caminando a través de la nieve que había en el valle. Podría dirigirse a cualquier lugar, pero Cícero supo al instante adónde iba. Era el mismo sitio adonde iría él si estuviese en la situación de Dominic, adonde iría cualquier alpinista de pura cepa: al hongo de piedra, el problema por solucionar.

Con gran ansiedad, Cícero fue hasta el puesto de observación en el último piso del edificio. El lujoso salón, que se usaba para fiestas en los eventos ejecutivos, tenía telescopios instalados en las ventanas panorámicas. El que apuntaba hacia el oeste tenía una vista perfecta del valle.

Miró por el visor del telescopio y ajustó el aparato hasta que tuvo el hongo en foco. Entonces acercó la imagen. Por supuesto, allí estaba Dominic, como lo había imaginado.

El muchacho no comenzó la subida inmediatamente, sino que se recostó contra el pedestal inclinado que era tres veces más alto que él. Miraba hacia arriba, analizando el problema. Finalmente se incorporó y se frotó las manos: era el gesto característico de los alpinistas. Subió por el pedestal y después por el tronco, buscando puntos de apoyo en la parte inferior de la copa del hongo.

Una vez más, el jefe del equipo se quedó completamente absorto.

—Baja, muchacho —murmuró—, no hay modo de subir.

Y, efectivamente, Dominic bajó, pero sólo hasta el pedestal. Se detuvo un momento, tomó tres pasos de impulso y se lanzó desde el punto más alto de la base, hacia arriba y hacia afuera, en un *dyno*, la operación más difícil que podía intentar un alpinista. Por un segundo, su delgado cuerpo flotó en el aire, a ocho metros del suelo. Entonces sus manos aparecieron de la nada y se agarraron a una pequeña protuberancia en el lado de la copa del hongo. Un segundo después, estaba en la cima.

Cícero estuvo a punto de aplaudir. La operación era tan arriesgada como brillante. Si Dominic no hubiese logrado agarrarse de aquella protuberancia, ahora mismo estaría camino al hospital. El chico había resuelto el problema imposible. Y lo había logrado simplemente porque se había negado a darse por vencido.

Demasiado joven. Demasiado pequeño. Esas razones descalificarían a cualquier otro alpinista, pero no a Dominic, porque Dominic siempre hallaba la solución. Y si el muchacho aún no se merecía el Everest, quizás el Everest lo mereciera a él.

En su mente se fue formando el equipo: Bryn Fiedler, Sammi Moon, Perry Noonan y Dominic Alexis.

Ni Ethan Zaph, ni Chris Alexis. Dos muchachas, un tipo que ni siquiera quería ir y un chico de octavo grado.

¡Los dioses debían de estar locos!

La escena de despedida se repitió en el cuarto de los hermanos Alexis, pero esta vez era Chris el que estaba empacando para irse. Dominic estaba angustiado.

—No puedo creer que Cap te haya hecho esto, Chris. Le debo decir a Cap que se vaya al demonio.

—¿Estás loco? —exclamó Chris—. Tú no tienes que hacer eso por mí. Cuando él te eliminó a ti, yo no dije ni esta boca es mía.

—Yo merecía ser eliminado —dijo Dominic—, ¡tú, no! Tú eres el mejor.

—Soy muy viejo —dijo Chris con amargura—. Estoy a punto de cumplir dieciséis.

—Cap es un energúmeno —dijo Dominic—. Nunca volveré a respetarlo. Tilt no tenía razón en muchas de las cosas que decía, pero sí en lo que decía de Cap.

Su hermano a duras penas consiguió esbozar una sonrisa.

—Si hay algo en todo esto que me consuela es ver a Tilt Crowley eliminado por segunda vez en dos días.

—Ten cuidado con él —le advirtió Dominic—. Cuando se enoja es más desagradable que de costumbre.

Chris se quitó la cuerda de cuero que llevaba al cuello y puso el frasquito con arena del Mar Muerto en la mano de su hermano.

—Ahora depende de ti, Dom. Quiero que lo dejes en la cima. Del fondo del mundo a la cima. Eso no ha cambiado.

—Sí ha cambiado, pues no eres tú el que lo llevará hasta allá —dijo Dominic a punto de echarse a llorar.

—Encárgate de llegar hasta allá —dijo Chris con entereza—, y de regresar. Recuerda: llegar a la cima es opcional, pero regresar a casa es obligatorio.

CAPÍTULO CATORCE

Durante el mes anterior, el centro de entrenamiento había sido su universo. Ahora, de repente, el equipo del SummitQuest abandonaría la instalación.

Comenzaron a preparar la partida febrilmente. Empaca los equipos personales. Apúrate. No, no necesitas protector solar, vas a Alaska en febrero. El piolet, ya está. Los crampones, ya están. La lámpara del casco, lista. Guantes, mitones. Todo el mundo en la camioneta. ¡Estamos retrasados! Conducir hasta Denver. Tomar el avión hasta Juneau. Poner todo el equipo en el helicóptero. Despegar otra vez.

A través de la ventanilla del helicóptero, Dominic vio el aeropuerto de Juneau, que quedaba en la distancia. Era la una de la tarde y ya el sol se ponía en este lugar tan al norte. Y eso que no se veía el cielo. Estaba todo nublado y una fina llovizna caía como niebla. Unos kilómetros más adelante, la llovizna se convertía en nevada: no muy fuerte, pero constante. Después de estar bajo el espectacular cielo sin nubes de

EL EVEREST

Colorado, este lugar parecía un paisaje extraterrestre.

—¿Cuándo va a mejorar el tiempo? —preguntó Perry.

Cícero se echó a reír.

—Aquí uno se vuelve anciano esperando que el tiempo mejore.

Estornudo iba con la cara pegada al cristal de la ventanilla.

—¡Miren, ahí está la Garra del Diablo!

—Yo no veo más que nieve —comentó Bryn.

Entonces, como si fuera un holograma en tercera dimensión, apareció en medio de la nieve: un pico alto, extraño, inmenso y cubierto de nieve.

—Peligroso —suspiró Sammi. Era el mejor halago que ella podía hacer.

El helicóptero comenzó a descender.

Con una altura de tres mil cien metros, la Garra del Diablo no era ni un tercio la altura del Everest. Era incluso más bajo que algunos de los picos que habían subido en Colorado, pero con la base ubicada a mil doscientos metros sobre el nivel del mar, representaba casi dos kilómetros de ascenso vertical. Y lo más importante era que tenía muchos de los obstáculos que la expedición enfrentaría en el Everest: glaciares, grietas, grandes paredes cubiertas de hielo, cornisas y todo el mal tiempo que un alpinista pudiera desear como preparación para subir a la cima del mundo.

Hacía veinte grados bajo cero cuando el piloto dejó a los alpinistas en el glaciar Atkinson, en la base de la Garra del Diablo.

—Me imagino que usted trae a muchos alpinistas aquí —comentó Perry.

El piloto se encogió de hombros.

—Bueno, traje a tres alemanes a principios de los años noventa. Jamás supe qué les pasó.

Después de eso subió al helicóptero y se perdió entre las nubes. La Dra. Oberman puso una mano sobre el hombro de Perry.

—No te asustes, estaba bromeando.

Sin embargo, lejos de las comodidades del centro de entrenamiento de Summit no había mucho tiempo para asustarse. Lo primero era encontrar un refugio, después, comer.

De repente, Dominic se alegró de que Cap los hubiese obligado a pasar aquella noche en sus tiendas de campaña en la nieve. Armaron las tiendas rápidamente, prepararon las estufas y las encendieron. Afuera estaba todo oscuro. El reloj de Dominic marcaba las dos y media.

Comieron a la luz de una pequeña hoguera:

todo un lujo. En el próximo campamento, a mayor altura, no habría nada con qué hacer una hoguera. Cícero repasó el plan.

—Aunque pasen toda la vida escalando montañas, nunca tendrán un día más duro que el de mañana. Subiremos por esa pared, y es una jugada de todo o nada, porque no hay ningún sitio donde parar hasta que lleguemos a la cornisa sur, que está a dos mil seiscientos metros de altura. Dormiremos allí, llegaremos a la cima a la mañana siguiente, y de ahí bajaremos para encontrarnos con el helicóptero que nos sacará de aquí. La mayor parte del tiempo estaremos en la oscuridad, así que cuiden la lámpara de su casco como a su propia vida.

Mientras Dominic escuchaba atentamente las palabras del jefe del equipo, se dio cuenta de que tenía las mejillas mojadas. Estaba sentado allí, sin expresión en el rostro, y las lágrimas salían a borbotones de sus ojos. Había estado viajando durante diez horas, y sólo ahora se daba cuenta realmente de que había logrado formar parte del equipo. Su sorpresa y su solidaridad por el dolor de Chris no le habían dejado lugar a la alegría. Aquí, en medio de la oscuridad y de la nieve, en un remoto glaciar de Alaska, finalmente tuvo la oportunidad de celebrar su triunfo. El viaje que

LA COMPETENCIA

había comenzado persiguiendo el frasquito de su hermano por la rampa del estacionamiento en el supermercado lo había traído hasta aquí.

¡Y la próxima parada sería el Everest!

El Rolex de alpinista de Perry, otro regalo de su tío Joe, marcaba las 2:15 a.m. cuando salió de la tienda que compartía con Dominic para satisfacer una necesidad fisiológica. De todos los aspectos del alpinismo que detestaba, y había muchos, el problema de ir al baño era el peor.

La hoguera se había extinguido: la oscuridad era total. No, era más que oscuridad. Era una negrura de tinta, sofocante. Quizás por algún lugar habría un poco de luz de la luna, pero detrás de catorce capas de nubes no divisaba nada.

Dio un paso con mucho cuidado. Después, varios pasos más. En esta oscuridad, alejarse mucho del campamento era un acto suicida. Dio otro paso... y en un instante sintió que descendía por una pendiente.

Era peor que cualquier terror que jamás hubiese sentido: caer sin control y sin ver absolutamente nada. Y entonces se detuvo. Chocó contra una roca o un hielo que lo golpeó en la base de la columna.

Hizo un rápido inventario: no tenía fracturas, todo estaba en su lugar. Se puso a cuatro patas y comenzó a gatear. En unos segundos había salido del hoyo: al menos era lo suficientemente bueno como alpinista para hacer eso. Había tenido suerte. Por lo que podía ver, había caído por una hendidura entre dos bloques de hielo glaciar, cada uno de ellos del tamaño de un refrigerador. Si hubiese sido una grieta de un glaciar en el Everest, estaría muerto. O peor aún: atrapado vivo y esperando una muerte segura. Había sucedido muchas veces, tanto a aficionados como a consumados alpinistas profesionales. Y sin duda, volvería a suceder muchas veces más.

Le tomó veinticinco minutos localizar la tienda en la oscuridad. Se había alejado un total de cuatro metros. Temblando, pero aliviado, se metió en su saco de dormir, tratando de no despertar a Dominic con su agitada respiración.

Entonces se dio cuenta de que había olvidado hacer algo, pero otro viaje al baño estaba fuera de sus planes por el momento.

CAPÍTULO QUINCE

A las 5:00 a.m., cuando Cap Cícero despertó a los muchachos, el panorama era el mismo que el de la noche anterior: absolutamente oscuro, gélido y nevado.

Junto a una débil hoguera, los alpinistas derritieron nieve para hacer un desayuno de chocolate caliente y harina de avena instantánea. Ninguno tenía mucho apetito. Tras cuatro semanas de preparación, había una montaña que escalar y esto no era un ensayo.

Desarmaron el campamento. Tenían que llevar a la espalda todos los equipos —las tiendas, las estufas y los sacos de dormir— para usarlos en la próxima parada, que sería casi dos kilómetros por encima del punto donde estaban. Era hora de ponerse los trajes cortavientos y las máscaras y los mitones Gore-Tex y atarse los crampones, unos dispositivos para las botas que tenían doce puntas afiladas. Estas puntas de metal se clavaron en el hielo glaciar a medida que se pusieron las mochilas al hombro.

La misión no podía ser más simple. Primero, una subida de ochocientos metros hasta la base de la Garra del Diablo, bordeando peligrosas grietas de glaciares. A Perry se le erizaban los pelos de la nuca. Si sufría un resbalón como el de la noche anterior, se acabaría la historia de Perry Noonan.

Una vez que llegaran a la montaña, hallarían una ladera vertical por la que tendrían que ascender.

Las púas delanteras de sus crampones se clavaban en la capa helada que cubría las rocas. Después tenían que clavar el piolet que llevaban en cada mano, subir a fuerza de brazos y comenzar de nuevo el proceso. Erguir el cuerpo y repetir la operación. *Chic. Chic. Chas. Chas.* Para Dominic, el ritmo se volvía tan familiar como los latidos del corazón.

Ascendían atados por parejas: Dominic y Bryn, Sammi y la Dra. Oberman, Cícero y Perry. El jefe de la expedición había llegado a la conclusión de que se requeriría de todo su talento para evitar que Perry se retrasara. El pelirrojo, nervioso, se aseguraba con ganchos de hielo cada uno o dos metros.

—Por el amor de Dios, Noonan —le dijo Cícero impaciente—, si pones un hierro más en el hielo, vas a magnetizar la montaña entera.

Estornudo era el único que iba sin acompañante. Escalaba solo, tomando kilómetros de video de los fantasmas que proyectaban las luces sobre la helada pared de la Garra del Diablo.

El sol salió como a las diez de la mañana o, al menos, como dijo Bryn: "Hay suficiente luz para ver la nieve soplar en nuestras caras".

Celebraron el amanecer con agua y barras marca Summit. El hielo era grueso y duro, y entre los ganchos de hielo y las púas delanteras de los crampones, los alpinistas podían darse un respiro colgados de la pared de la montaña. Era una sensación cómoda. Cícero y Estornudo intercambiaron posiciones. Ahora el jefe de la expedición iba solo.

En ese momento, Dominic había perdido la cuenta de cuántos puntos de aseguramiento habían usado en la subida. Tenían que ser doce por lo menos, pero aún no estaban a mitad de camino.

Al cabo de unas horas se hizo de noche otra vez.

El mes de entrenamiento los salvó de la fatiga por un buen tiempo, pero cuando finalmente llegó, fue terrible. De pronto, la tarea de clavar el piolet parecía requerir fuerzas sobrenaturales. Clavar las púas de los crampones en el hielo era como tratar de atravesar una armadura. Los pies les pesaban sesenta toneladas. Incluso la inagotable energía de Perry para clavar ganchos de seguridad en la montaña había desaparecido. Estornudo tenía que recordarle que pusiera un amarre de seguridad cada diez metros.

La conversación se fue apagando hasta reducirse a lo más esencial: "Estoy llegando", "Agarra esto", "Cansado". Después, hasta lo esencial dejó de ser esencial. Lo único que se escuchaba era el viento, los gemidos del esfuerzo y los golpes de los piolets y los crampones.

Cuando las lámparas de los cascos iluminaron la protuberancia en la pared que indicaba el comienzo de la cornisa, Dominic y Bryn apretaron el paso, con la renovada vitalidad que les inyectaba la visión de la meta.

—¿Ya llegamos? —preguntó Sammi, jadeando a su izquierda—. ¿Estamos cerca?

—Paciencia —ordenó la Dra. Oberman—. El ángulo de la cornisa hace que parezca más cerca de lo que está.

Como había anunciado, tras una hora de demoledores esfuerzos, la cornisa no parecía estar más cerca.

Siguieron arrastrándose hasta que Cícero se adelantó al grupo en un despliegue increíble de fuerza y energía. Desapareció por encima de ellos en la protuberante pared helada. Una vez que estuvo en la cornisa, ató una cuerda alrededor de un peñasco y la dejó caer por la pared de la montaña. Moviéndose lateralmente con la ayuda de sus crampones, los alpinistas se acercaron a la cuerda. Uno por uno, fueron ascendiendo por la cuerda hasta la cornisa donde estaba el jefe de la expedición.

Bryn, Sammi, Perry y Dominic cayeron exhaustos al llegar, pero el guía los obligó a levantarse de inmediato.

—Ahora no es momento de descansar —aulló Cícero—. Hay que armar las tiendas y preparar la cena primero.

Habían sido once horas y media de esfuerzo extenuante. El reloj de Perry indicaba que estaban a una altitud de 2.688 metros. La temperatura del aire era de treinta y cinco grados bajo cero.

Su destino era un lugar de aspecto raro, incluso para el inhóspito entorno de la Garra del Diablo. Las inmensas paredes de la montaña tenían un color blanco grisáceo a causa de la escarcha y el hielo, pero el peñasco donde estaban era una desnuda roca negra, pues el viento constante se llevaba la nieve que caía encima.

Desde el centro de este paisaje lunar se elevaba el cono que formaba la cima, de más de quinientos metros de alto, que sería el ascenso del día siguiente.

Allí armaron las cuatro tiendas, en un rincón

protegido del viento. Cenaron té y sopa caliente y un montón de pastas precocidas ricas en carbohidratos para recuperar la energía.

—Recuerden lo que hicieron hoy —dijo la Dra. Oberman—, y lo que harán mañana. Nos levantaremos a las 5:00 a.m.

Se metió entonces en su tienda, dejándolos a la débil luz de una sola lámpara de casco.

—5:00 a.m., 5:00 p.m. —dijo Bryn con tono cansino—. Aquí siempre es de noche, menos al mediodía.

—Ah, deja de quejarte —replicó Sammi con los ojos radiantes—. Piensa en dónde estamos, en la cima de un paisaje único de la naturaleza, cerca del polo norte, colgados por las uñas...

—Si dices que esto es realmente peligroso—la interrumpió Bryn—, te vas a comer la tienda.

—Bueno, pero lo es —insistió Sammi—. Estamos desafiando la gravedad. Me encanta este sitio. Y si eres una verdadera alpinista, a ti también debería gustarte.

—Yo sólo escalo montañas —replicó Bryn—. No me engaño pensando que esto es hermoso, porque aunque tú le veas la belleza, esto es el sobaco del mundo.

—Pues me imagino que no va a gustarte el Everest tampoco —dijo Sammi.

—No se trata de qué montaña estés escalando; lo importante es escalar —trató de explicarle Bryn—. Es el esfuerzo físico, el reto personal...

—Bah —dijo Sammi—. ¿Qué opinas, Dominic? Tú escalas montañas por la emoción que se siente, ¿verdad? ¿O andas buscando tu yo interior en el Everest como Oprah?

Dominic se sorprendió de que le pidiera su opinión. Respondió pausadamente:

—Cuando veo algo, automáticamente trato de ver cómo voy a subirme encima. No sé por qué. Quizás porque es lo que hace Chris. Y él lo heredó de mi padre. Es como cuando a George Mallory le preguntaron por qué iba a subir al Everest y respondió: "Porque está ahí".

—Él estaba bromeando —dijo Perry, y los otros voltearon a verlo—. No, de veras. Lo leí en un libro que me dio mi tío. Había una conferencia de prensa y uno de los periodistas le repetía la misma pregunta una y otra vez: "¿Por qué quiere escalar el Everest? ¿Por qué? ¿Por qué?". Y para que se callara, Mallory le respondió: "Porque está ahí". Lo dijo para que lo dejara en paz. Uno no puede basar su vida en eso.

Comenzó hablando en voz baja, pero había ido subiendo el volumen y había adquirido un tono de desdén inconfundible.

—Te entiendo bien —dijo Sammi—. Detestas todo este asunto. ¿Por qué estás aquí?

—Escalé esa pared vertical igual que tú —se defendió Perry.

—Es cierto —dijo Bryn—. Lo hiciste bien hoy, pero para nosotros tres estaba claro que no lo estabas disfrutando. Y si nosotros nos dimos cuenta, Cap tiene que haberse dado cuenta. ¿Por qué no te sacó del equipo?

—Quizás Cap es mejor juez que ustedes.

—O quizás Tilt estaba en lo cierto —le dijo Sammi—, y tu tío compró tu boleto en esta expedición.

Perry se mantuvo en silencio bajo la débil luz de la lámpara.

—¿Es verdad? —dijo Bryn. Perry sintió que las mejillas se le ponían coloradas, hasta que sus pecas se diluyeron en aquel fuego que le quemaba el rostro—. Dinos, ¿es verdad?

Entonces estalló.

—No sabes de qué estás hablando —le respondió—. Mi tío no compró mi entrada a la expedición. Mi tío compró la expedición completa. Es Joe Sullivan, ¿no te dice nada ese nombre?

—El fundador de Summit Athletic —dijo Dominic sorprendido.

—Y presidente y director del consejo de dirección de la empresa —añadió Perry—. Cap no me sacó y yo no renuncié al equipo por la misma razón: porque Joe Sullivan siempre consigue lo que quiere.

Se levantó, entró en la tienda y se metió en su saco de dormir antes de que ninguno de los otros pudiera decir una palabra. Aunque estaba enojado, sentía cierto alivio después de haberles revelado la verdad. Y si los demás lo odiaban por eso, qué se iba a hacer. De todas formas sospechaban algo parecido. Perry sabía que en el entrenamiento todos se preguntaban por qué no lo sacaban del equipo. Por lo menos ya no lo harían.

Se enfundó en su saco de dormir y se tapó los oídos, pero los demás estaban muy cerca, de modo que no pudo evitar escuchar algunas de las cosas que decían. Como lo que dijo Bryn:

—¿Saben qué es lo más increíble de todo esto? Que él se atreva a subir al Everest, pero que no tenga el valor de decirle a su tío que no quiere ir.

O el comentario de Dominic:

—Lo que me fastidia es que él esté aquí y Chris esté en casa.

—Ni digas eso —gruñó Sammi—. A Chris no lo iban a elegir. Necesitan gente más joven. Si Perry no estuviera aquí, tendríamos que aguantar a Tilt.

Perry no supo cuándo se durmió, pero de repente se despertó y escuchó la respiración de Dominic, que dormía en el otro saco de dormir de la tienda. La esfera iluminada de su reloj indicaba que eran pasadas las tres. Se sentía exhausto, pero no podía dormirse.

"Vamos, Perry, duérmete. En menos de dos horas tendrás que levantarte".

Sin embargo, no se dormía. Se acomodó y dio vueltas en el saco varias veces, pero el colchón de aire no impedía que sintiera la dura roca debajo de él. Sus huesos, doloridos por el brutal ascenso, comenzaban a protestar.

Salió arrastrándose de la diminuta tienda, poniéndose el abrigo y las botas. Se paró sobre la delgada capa de nieve, sin atreverse a dar un solo paso en la oscuridad que lo rodeaba. Si el episodio de la noche anterior se repetía aquí, podría acabar mil metros más abajo, clavado para siempre en un glaciar. Casi instintivamente, buscó una lámpara y la encendió.

—¡Ay! —exclamó al darse cuenta de que no estaba solo. Bryn Fiedler estaba de pie frente a él—. ¿Tampoco podías dormir? —le preguntó.

Ella no le respondió, y comenzó a alejarse lentamente.

"Perfecto —pensó—. O me detesta, o piensa que estoy tratando de espiarla mientras va al baño".

LA COMPETENCIA

Y entonces notó algo extraño. La muchacha no llevaba el abrigo ni las botas.

—Oye, ¿no tienes frío?

No recibió respuesta, ni siquiera una indicación de que ella lo hubiese escuchado. Bryn siguió caminando hacia... ¿hacia dónde? No había nada hacia allá. Si se alejaba demasiado...

—¡Nooo!

CAPÍTULO DIECISÉIS

Con el corazón en la boca, Perry atravesó el campamento corriendo. Agarró a Bryn cuando estaba al borde del precipicio, pero ella trató de zafarse. La fuerza de su gesto defensivo y el impulso que llevaba Perry los hizo caer a los dos por el borde.

En el último instante, sus dedos sintieron la roca y se aferraron a ella desesperadamente. Sollozando aterrorizado, trató de gritar, "¡Cap!", pero no logró emitir sonido alguno. Todas las fuerzas de su ser estaban concentradas en volver a subir al peñasco. Era poco más de un metro, pero le pareció que le tomaba muchísimo tiempo y más esfuerzo que la subida del día anterior.

Finalmente logró regresar a la cornisa. Bryn no estaba allí.

—¡Cap! ¡Caaap!

Sus gritos hicieron que todos vinieran corriendo.

—¿Qué pasa? —rugió el jefe del equipo.

—¡Se cayó! —aulló Perry histérico.

—¿Quién?

—¡Bryn! ¡Bryn! Salió caminando y se lanzó por el precipicio. Se suicidó.

—¿Dónde?

—¡Ahí!

Perry, que aún estaba arrodillado, llevó a los demás al lugar donde la muchacha había desaparecido.

Cícero encendió la lámpara de su casco y la enfocó hacia el precipicio en tinieblas. El tiempo pareció detenerse en un instante de agonía. Si Bryn había caído hasta el glaciar, era imposible que hubiese sobrevivido.

En esta cara de la montaña, que daba al sudeste, la capa de hielo se había separado de la pared de roca, creando una estrecha cavidad a unos diez metros de donde estaban ellos.

En el fondo de aquel estrecho agujero, yacía inmóvil Bryn. Todos comenzaron a llamarla a gritos, pero ella no respondió.

Cícero se volvió hacia Perry.

—¿Se lanzó por el precipicio? ¿Así no más?

—Sí.

—No es así no más —dijo Sammi histérica—. Ella es sonámbula.

Cícero le clavó la mirada.

—¿Qué?

—¡Que es sonámbula! —exclamó la muchacha—. Le sucedió en el centro de entrenamiento.

Era ella la que rompía las cosas. No lo hacía a propósito, pero no podía evitarlo.

El jefe del equipo estaba furioso.

—¿Y a ti no te pareció que tenías que decírmelo?

—¿Y ver cómo eliminaban del equipo a una buena alpinista?

—Esa muchacha podría estar durmiendo en su cama, en su casa, en lugar de estar muerta o agonizando —replicó Cícero.

La terrible realidad se hizo clara en su mente. Sintió que su cuerpo se petrificaba. Por supuesto, Cícero había perdido miembros de sus equipos antes, más de los que le gustaba recordar. Era parte de este peligroso deporte. Sin embargo, en ese momento se dio cuenta de que esto era totalmente diferente. Bryn Fiedler tenía dieciséis años. Podría estar preparándose para la fiesta de graduación de la escuela secundaria.

—¡Bryn! —aulló—. Bryn, ¿me escuchas?

Ella seguía inmóvil. Sammi comenzó a llorar.

—Bryn me dijo que una vez que pasara la presión de las eliminatorias todo estaría bien. Y lo creí. Lo siento...

Cap Cícero no tenía tiempo para escuchar sus disculpas. Era un veterano alpinista en medio de una emergencia. Ahora no importaba quién tenía la culpa. No se trataba de lo que debía haberse hecho, sino de lo que había que hacer. Lo único que importaba era sacar a Bryn del hielo y, si estaba viva, sacarla de la montaña y darle atención médica.

Mientras el pánico se apoderaba de los demás, Cap asumió una calma profesional y comenzó a dar órdenes.

—Andrea, busca el teléfono y trata de que los guardabosques nos manden un helicóptero. Lenny, necesito crampones, un arnés y unas cuerdas.

Perry lo miraba con los ojos desorbitados mientras los guías entraban en acción.

—Usted no va a bajar ahí, ¿verdad?

—Si tienes una mejor manera de sacarla, dímelo.

Estornudo vino con una carga de equipos en sus brazos. Mientras el jefe del equipo ataba una cuerda a un pesado peñasco, la Dra. Oberman regresó con un teléfono celular en el oído.

—Nos enviarán un helicóptero, pero el piloto no se podrá acercar a la montaña hasta que salga el sol, alrededor de las diez de la mañana.

—Diles que los esperamos —dijo Cícero mientras fijaba un arnés a la cuerda que había atado al peñasco.

La Dra. Oberman transmitió su mensaje y le dijo:

—También quieren saber si deben enviar un equipo médico para atenderla.

—Te lo diré en un minuto —dijo Cícero en tono grave, y descendió por el precipicio.

Dominic observó con admiración cómo el famoso alpinista descendía desde la cornisa. En unos segundos llegó a su destino y se paró en el borde del hielo. Entró en el agujero para llegar hasta donde estaba Bryn.

Desde arriba, los otros observaban conteniendo el aliento. Cícero metió las piernas en el agujero, pero no pudo seguir.

—¿Por qué se detuvo? —preguntó Sammi.

La Dra. Oberman se dio cuenta de lo que sucedía.

—Está atrapado. El hueco es muy estrecho.

Al instante, Dominic entró en acción. Fue a la tienda, agarró su casco con lámpara, se puso el arnés y los crampones. Las agudas púas chirriaban al chocar contra la negra roca, pero él apenas lo notó, corriendo tan velozmente como se lo permitían sus crampones. En el alpinismo había una ley no escrita: una tarea es de quien pueda hacerla. En ese momento, en esa situación, Dominic Alexis tenía una ventaja sobre Cap Cícero.

LA COMPETENCIA

—Dominic, ven acá —dijo la Dra. Oberman.

Corrió a detenerlo, pero él enganchó su arnés a la cuerda y descendió por el precipicio.

Caída libre. Descendió por la pared del precipicio, se separó un poco con los pies y descendió un poco más. Sentir la fuerza de gravedad que tiraba de su cuerpo le dio confianza. El movimiento era vertical, Dominic estaba en su elemento.

Llegó hasta el borde de la capa de hielo y vio a Cícero golpeando con su piolet el hielo en el que estaba atrapado.

Miró asombrado al miembro más joven de su equipo.

—Sal ahora mismo de aquí, Alexis. Ya perdí un alpinista, no necesito otro desastre.

—Yo puedo meterme ahí —dijo Dominic jadeando—. Soy más pequeño que usted.

—Ni lo pienses —rugió Cícero, pero al mismo tiempo observó el delgado cuerpo de Dominic y pensó en el estrecho pasaje entre el hielo y la pared de roca que separaba a Bryn de cualquier posibilidad de rescate. Bryn, si aún estaba viva, sería víctima del trauma, la hipotermia y las quemaduras de hielo. Había que sacarla de allí enseguida.

—Está bien —dijo finalmente—, pero ten mucho cuidado. Lo último que necesito es que ustedes dos queden atrapados en ese agujero.

Era como bajar a una caverna de hielo, sólo que la bajada era completamente vertical. Apretándose contra la áspera pared de granito de la montaña, Dominic descendió al agujero formado por el hielo. El difícil y doloroso descenso le dio un sentimiento de calma. Era el estilo de los hermanos Alexis: tomar lo cotidiano y volverlo vertical. Sólo que en esta ocasión no tenía a Chris para que lo ayudara y la vida de Bryn estaba en juego.

Al descender, la cuerda que lo unía a Cícero se le enredó en las piernas. Desenredarla en aquel espacio tan estrecho consumiría dos cosas preciosas: tiempo y energía. Llegó finalmente al fondo del agujero, donde Bryn yacía de lado, inconsciente y sangrando.

Era el momento de la verdad: acercó la oreja a su boca entreabierta.

CAPÍTULO DIECISIETE

Sintió el cálido aliento: débil, pero regular.

—¡Está viva! —gritó.

—¿Y tú cómo estás? —preguntó Cícero siete metros por encima de él.

—Bien —dijo Dominic jadeando—. ¿Qué hacemos ahora?

El jefe del equipo bajó una frazada, con la que Dominic envolvió el cuerpo inmóvil de Bryn. A continuación, Dominic le puso tres eslingas: una por los hombros, una por la espalda y otra en las rodillas. Cícero ató las cuerdas de las tres eslingas a una cuerda que le habían lanzado desde arriba. Desde la cima, y usando una roca redondeada como polea, la Dra. Oberman, Estornudo, Sammi y Perry comenzaron a subirla.

Cuando había ascendido un poco más de dos metros, el cuerpo de Bryn chocó contra un pico de hielo.

—¡Paren, paren! —gritó Dominic—. Está trabada, no la sigan apretando contra el hielo.

Subió por su propia cuerda y trató sin éxito de hacer pasar a Bryn por un costado del pedazo de hielo donde se había trabado. Entonces sacó su piolet para abrirle el camino.

—¿Cómo está eso? —le preguntó Cícero.

—Complicado —Dominic se dio cuenta del temblor en su voz—. Esto puede tomar horas.

—Tenemos unas horas —dijo Cícero—. Seis horas antes de que llegue el helicóptero. Voy a empezar a abrir el camino desde aquí arriba.

Dominic había estado escalando montañas desde que tenía cuatro años, pero nunca había imaginado algo así: estar atrapado en el hielo, en una inhóspita montaña, tratando de abrirse paso en una capa de hielo de sesenta centímetros de grosor, en medio del frío y luchando contra el reloj. Cada golpe del piolet arrancaba uno o dos milímetros de hielo. Diminutos fragmentos, casi polvo.

Pasó una hora. Después, dos. El continuo movimiento le provocó un insoportable dolor en el hombro. Temblaba de frío: la temperatura era de treinta y nueve grados bajo cero, y los fragmentos de hielo que Cícero arrancaba llovían sobre él.

Entonces sintió una voz que venía desde un lugar tan profundo de su ser que ni siquiera él sabía que existía: "Descansa".

—Jamás —susurró, y sintió rabia de haber

tenido semejante idea cuando la vida de Bryn dependía de su esfuerzo. Comenzó a golpear desesperadamente con el piolet. Siguió golpeando hasta que se dio cuenta de que el camino ya estaba abierto.

—Bien —dijo con una voz apenas audible, y lo repitió más alto—. ¡Bien! Ya la podemos subir.

Cícero repitió el mensaje y un instante después Bryn comenzó a ascender una vez más. Dominic iba subiendo tras ella, encajando sus crampones en el hielo de la pared para apoyarse mientras guiaba a su compañera inconsciente a través del estrecho pasaje.

Estaban llegando. Ya veía la luz de la lámpara de Cícero en la estrecha franja de cielo negro que había sobre él. Y entonces, cuando estaba muy cerca del borde del hielo, Bryn volvió a trabarse con algo. Dominic trató de hacerla pasar entre los picos de hielo, pero no tuvo éxito.

Desde arriba llegaron malas noticias:

—Acabo de hablar con la estación de los guardabosques —le decía la Dra. Oberman a Cícero—, tendremos nevada.

Sammi estaba a su lado.

—Bueno, en realidad no ha dejado de nevar ni cinco segundos desde que llegamos aquí.

—¿No dejan salir al helicóptero? —preguntó Cícero decepcionado.

—El helicóptero sólo podrá venir entre las diez y las diez y media —dijo Estornudo—. Después de esa hora arreciará el viento y no podremos contar con ellos. El Servicio Meteorológico pronostica que caerán treinta centímetros de nieve.

Cícero miró el reloj. Eran las siete y cuarenta minutos.

—Comienza el descenso con los muchachos.

Perry no podía creerlo.

—¿Y Bryn?

—No te preocupes por ella —dijo Estornudo muy serio—. Ella irá calentita en el helicóptero mientras nosotros nos rompemos las costillas bajando por la pared de la montaña.

Sammi no estaba tan segura.

—Bueno, si es que llega el helicóptero.

El camarógrafo la agarró por el brazo y la arrastró hacia el campamento.

—Si sigues colgada de la pared de la montaña cuando comience la tormenta, vas a saber de una buena vez lo que significa el peligro.

Eso fue suficiente para convencer a Perry.

—Vamos ya.

Sin embargo, Sammi no se movió.

—¿Y Dominic?

Diez metros más abajo se discutía el mismo tema.

—Muchacho, se nos acerca una tormenta y les he dicho a todos que bajen —le dijo Cícero desde arriba—. Tú también te vas.

Dominic se quedó horrorizado.

—¿La va a dejar aquí?

—Yo la puedo sacar solo —le aseguró Cícero—. El helicóptero nos ha dado hasta las diez y media.

—No podrá sacarla solo antes de esa hora. Tenemos más de un metro de hielo por cortar —dijo, y comenzó a golpear con el piolet más rápido que antes.

—Ni te lo imagines, Alexis. No voy a ponerte en esa situación tan peligrosa.

—¡No! —dijo, y siguió golpeando desesperadamente el hielo.

—Oye, mequetrefe, ¿desde cuándo me dices a mí qué debo hacer en mi expedición? Yo escalaba montañas cuando tú estabas en pañales.

Abajo sólo se escuchaban los golpes del piolet contra el hielo. El rostro del jefe de la expedición enrojeció en un instante.

—Si desobedeces mi orden te vas del equipo. ¡No irás conmigo a ninguna parte! Ni siquiera a la esquina a comprar chicle. ¿Me entiendes?

Dominic apenas escuchó lo que le decía:

seguía golpeando el hielo con su piolet. Su mundo en ese instante era la masa de hielo de un metro y pico de grosor que tenía que romper en menos de tres horas. Comparado con eso, Cap Cícero, el SummitQuest o incluso su propia seguridad eran tan insignificantes como el precio del maní en el Perú.

Cícero no podía hacer nada para detenerlo. No podía llegar hasta donde estaba Dominic a través del estrecho pasaje. Lo único que podía hacer era agarrar su piolet y tratar de abrir el camino desde arriba. Ahora el trabajo producía un ritmo doble de piolets.

La Dra. Oberman le bajó a Cícero el teléfono celular de largo alcance, y los miembros del equipo que estaban en la cornisa comenzaron el largo descenso. Nadie hablaba ya de llegar a la cima: tenían una alpinista inconsciente y se acercaba una tormenta. La cámara de video estaba guardada en la mochila de Estornudo. El público nunca vería este episodio de la expedición SummitQuest.

Dominic no tenía reloj. Medía las horas por la intensidad del dolor de su brazo y el entumecimiento que el frío producía en el resto de su cuerpo. Sentía ahora una fatiga mucho más brutal que la que había experimentado después de ascender la pared vertical de dos mil trescientos metros. Era un solo movimiento, el de golpear con el piolet, repetido durante horas infinitas. La duda y el temor lo invadían. ¿Lo invadiría el cansancio, impidiéndole salir de allí más tarde? Si lograba regresar a la cornisa, ¿tendría la fuerza y la voluntad de bajar por una pared vertical de casi dos kilómetros hasta el glaciar?

"No importa. No te preocupes. Sigue trabajando. No te detengas".

Se dio cuenta de que el cielo se estaba iluminando. Era el amanecer, o lo que en esta región eternamente nublada parecía el amanecer. El sonido llegó hasta él poco después de la luz, tenue pero audible, incluso desde el hueco donde estaba. Era como un lento redoble de tambor.

¡Un helicóptero!

CAPÍTULO DIECIOCHO

—¡Las diez en punto! —anunció Cícero.

Dominic miró el bloque de hielo de 30 centímetros de espesor que mantenía atrapada a Bryn, y lo desarmó mentalmente golpe a golpe. Tenía media hora. ¿Sería suficiente?

"Tenemos que lograrlo".

Sujetando el piolet con ambas manos, atacó el bloque de hielo con una ferocidad inusitada. Escuchó a Cícero rogándole que se calmara, que ahorrara energía, pero Dominic sabía que la desesperación era la única velocidad apropiada para él. No se atrevía a reducir el ritmo ni siquiera un segundo por temor a que su cuerpo se resistiera a recomenzar la labor.

—¡Diez y cuarto!

Parecía no acabar nunca. Las horas… no, no tenían horas, tenían minutos que parecían horas en aquel cansancio infinito, aquel hielo infinito. La visión comenzó a nublársele.

"¡No te vayas a desmayar ahora!"

—¡Diez y veinticinco!

Siguió golpeando.

Más arriba, Cícero gritaba por el teléfono.

LA COMPETENCIA

—¡Danos cinco minutos más! ¡Dos minutos!

Dominic golpeaba sin parar.

Y entonces:

—¡Cuidado con la cabeza!

La bota de Cícero atravesó el hielo, derramando una lluvia de hielo y nieve sobre la cabeza de Dominic. Recurriendo a los últimos gramos de energía que le quedaban, el muchacho hundió sus crampones en el hielo y trató de impulsar a Bryn hacia arriba hasta donde estaba Cícero. El guía agarró a la muchacha herida y la alzó hasta el borde del hielo.

—¡Vengan ya! —gritó por el teléfono.

A punto de desmayarse, Dominic salió arrastrándose del agujero en el que había estado siete horas. Cuando se paró junto a Cícero, tambaleándose, se dio cuenta de que el tiempo había cambiado. Un fuerte viento lanzaba copos de nieve contra sus caras. En poco tiempo la tormenta llegaría con toda su fuerza.

El helicóptero estaba más cerca de lo que Dominic se había imaginado. Pareció surgir como una explosión en medio de la niebla, a veinte metros de ellos, y se acercaba velozmente.

—¡Está demasiado bajo! —gritó Dominic.

En el último instante, el piloto giró la nave hacia arriba y en dirección contraria, volviendo a desaparecer. Cuando reapareció, estaba a mayor altura y descendía lentamente hacia ellos.

Cícero agarró a Dominic por los hombros y lo obligó a arrodillarse para que no fuera a ser golpeado por las aspas del helicóptero. No había espacio suficiente para aterrizar en el borde del hielo, de modo que el piloto se acercó hasta el borde y se mantuvo en el aire: una maniobra difícil y peligrosa. El helicóptero estaba inmóvil, pero no se podría mantener así por mucho tiempo.

Cícero subió al helicóptero, agarró a Bryn con ambos brazos y la subió a bordo de la nave. Después extendió el brazo para ayudar a Dominic a subir.

Una poderosa ráfaga de viento sopló en ese momento, empujando a Dominic contra la roca. La rueda delantera se salió del borde del hielo y el helicóptero pareció rebotar en el aire. Las aspas se inclinaron peligrosamente hacia él.

—¡Agáchate! —gritó Cícero.

Sin tiempo para pensar o respirar, Dominic se metió de nuevo en el hueco.

Las aspas mortales rozaron el borde del hielo; un instante después, el piloto maniobró los controles y el helicóptero se alejó de la montaña.

Sintió que caía. Dominic abrió las piernas. Las púas de los crampones se clavaron en la pared de hielo y logró sostenerse. Paso a paso, volvió a salir del agujero, en medio del viento y la nieve. Miró desesperado a su alrededor. El helicóptero se había ido.

—¡Cap!

No hubo respuesta. Sintió que el pánico le atenazaba el estómago y subía hasta su garganta. El resto del grupo había bajado, llevándose con ellos las cuerdas, los mosquetones y los tornillos de hielo. ¿Cómo iba a bajar aquella pared de más de mil metros sin cuerdas, en medio de una tormenta y sin ayuda?

"Chris debería estar aquí. Él es mejor alpinista que yo. Él sabría salir de este atolladero".

Metió la mano por debajo del abrigo y apretó el frasquito con arena del Mar Muerto de su hermano, que ya nunca iría al Everest, que quizás nunca saldría de la Garra del Diablo...

—¡Dominic!

El grito fue tan débil que pudo no haberlo escuchado de no ser por el tono desesperado de aquella voz. Con un rugido del motor, el helicóptero apareció en medio de la tormenta de nieve. Cícero iba con la mitad del cuerpo colgando fuera de la nave, agitando una cuerda que se movía en todas direcciones.

Al mismo tiempo, el jefe del equipo y el piloto se peleaban a gritos. ¿Cuánto más se atreverían a acercarse a Dominic?

—Si una ráfaga de viento nos empuja contra la montaña, pereceremos todos —dijo el piloto.

—Tenemos un muchacho de trece años solo en esa montaña —le gritó Cícero—. Si bajas sin él, cuando aterricemos vas a desear haberte estrellado contra la montaña.

"Estoy perdido —pensó Dominic—. No van a poder acercarse lo suficiente con este viento".

Estaba aún pensándolo cuando el viento amainó y hubo un inesperado momento de calma. De pronto, la nieve comenzó a caer verticalmente, y la cuerda quedó colgando del helicóptero, inmóvil.

—¡Acércate, acércate! —gritó Cícero.

A Dominic le pareció que todo sucedía en cámara lenta. Aquellos segundos esperando que el helicóptero se acercara fueron los más largos de su vida. Diez metros... siete... cuatro.

Mientras soltaba el arnés de la cuerda, tuvo un presentimiento. No podía explicarlo. Sería el instinto de alpinista. Simplemente se dio cuenta de lo que sucedería.

"El viento está cobrando fuerza otra vez".

Dominic Alexis tomó dos pasos de impulso y se lanzó al vacío... un dyno espectacular a casi dos kilómetros de altura sobre el glaciar Atkinson.

—¡Nooo! —gritó Cícero espantado.

Suspendido en el aire, Dominic sintió una

extraña serenidad. No estaba en Alaska. En su mente, estaba en el valle junto al centro de entrenamiento de Summit en Colorado, dando el salto que resolvería el hongo. Era una locura saltar al vacío desde una montaña, pero ningún alpinista resistiría la sensación de dar un salto así para resolver un problema de alpinismo difícil.

Sintió la ráfaga del viento, que volvía a cobrar fuerzas, en su espalda, impulsándolo hacia adelante. Cuando sus mitones chocaron con la cuerda, se asustó por un momento, como si no hubiese esperado alcanzarla. Se agarró a ella con todas sus fuerzas y el jefe de la expedición lo izó hacia el helicóptero.

Cap Cícero, veterano de cien expediciones y de todas las tragedias y rescates posibles en el alpinismo, abrazó a Dominic y lo apretó contra su pecho hasta dejarlo sin aliento.

—¡Pensé que te habíamos perdido!

El piloto accionó los controles y el helicóptero se alejó de la Garra del Diablo.

—¡Larguémonos! —dijo con la cara completamente pálida—. Ya hemos gastado seis de nuestras siete vidas.

CAPÍTULO DIECINUEVE

Bryn Fiedler se fracturó un brazo y un tobillo, tenía fisuras en cuatro costillas y una conmoción cerebral. También sufrió quemadas de hielo leves en los dedos de las manos y los pies, pero los médicos dijeron que se recuperaría completamente.

—Los médicos de Alaska ven muchos casos de quemadura de hielo —le dijo Cícero—. Así que saben muy bien de qué están hablando.

Sammi, Perry y Dominic la visitaron al día siguiente en el hospital de Juneau. Estaba en la cama, recostada en la cabecera. Tenía el brazo enyesado y vendas en la cabeza, las manos y los pies. En cuanto los vio, les dijo:

—Ah, hola. Pensé que serían mis padres.

—¿Van a venir de Chicago? —le preguntó Sammi.

Ella asintió con un gesto.

—En aviones separados, en distintos autos de alquiler. Me imagino que así van a ser las cosas en mi familia de ahora en adelante —dijo, y miró a Dominic—. Cap me contó que me salvaste la vida.

—Cualquiera hubiese hecho lo mismo —dijo Dominic, ruborizándose.

—No —le dijo ella seriamente—. Si Cap hubiese elegido a tu hermano, estaría muerta. Honestamente, ¿crees que Chris se hubiese podido meter en aquel agujero para sacarme? Es casi del tamaño de Cap. Siento no haber tenido más confianza en ti. Tú mereces ir al Everest.

—No creo que nadie vaya a ir al Everest —dijo Sammi con tristeza—. Cap está hablando por teléfono con Tony Devlin. Parece que van a suspender la expedición.

Todas las miradas se dirigieron a Perry.

—¿Por qué me están mirando? ¿Creen que mi tío me llama para preguntarme cómo debe dirigir Summit? —preguntó—. De todas formas, me imagino que van a cancelar la expedición.

—Para ti es un alivio —dijo Bryn.

—Por supuesto —dijo Perry—. Si todo esto nos sucedió en la Garra del Diablo, ¿que pasaría en una montaña tres veces más alta?

—Es culpa mía —dijo Bryn—. Pensé que después del entrenamiento no tendría más problemas de sonambulismo. Estoy viva de puro milagro. Les arruiné el viaje a todos.

Sammi le puso una mano en el hombro.

—Me imagino que volveremos al plan de saltar precipicios. Caleb estará feliz.

Entonces se escuchó una voz áspera, pero familiar.

—Caleb no está de suerte —dijo Cap Cícero entrando en la habitación—. Acabo de hablar con Tony Devlin. La expedición sigue en pie.

Perry lo miró desconsolado.

—Pero... ¿y lo que sucedió ayer?

—Si ustedes fueron capaces de salir de un atolladero como ese, significa que están listos para el Everest —dijo el jefe del equipo—. Incluso tú, Noonan.

Perry no sabía si sentirse horrorizado o halagado.

—Yo no, ¿verdad? —se atrevió a preguntar Dominic.

—¿De qué estás hablando? —le preguntó Bryn.

—Desobedecí una orden —dijo Dominic—, y Cap me expulsó del equipo.

Cícero le puso una mano sobre los escuálidos hombros.

—Muchacho, después de lo que vi ayer, no entiendo cómo pude escalar montañas sin ti. Sí, me desobedeciste, y yo estaba furioso, pero gracias a eso salvamos a un miembro de nuestro equipo, y eso es más importante que cualquier otra cosa —dijo, pero su sonrisa se desvaneció tan rápidamente como había aparecido—. Así que nada de hamburguesas con queso cuando vayan a casa: ustedes están en entrenamiento. Salimos para Nepal en tres semanas.

—Me comeré una hamburguesa en tu nombre —dijo Bryn—, es lo menos que puedo hacer.

—Y algo más —añadió Cícero—. Que nadie hable con la prensa acerca de lo sucedido, ¿me entienden? Es una orden del consejo de dirección de Summit. Si alguien pregunta por qué Bryn no va a la expedición, le dicen que se torció un tobillo en la última prueba.

—No me lo torcí, me lo fracturé —le recordó Bryn—. Y todos los otros huesos del cuerpo.

—¿Y quién la reemplazará? —preguntó Sammi—. ¿Quién será el cuarto miembro del equipo?

Dominic intervino enseguida.

—Es mi hermano, ¿verdad? ¿Vamos a llevar a Chris?

Cícero negó tristemente con la cabeza.

—Me temo que no.

EPÍLOGO

Mensaje de correo electrónico
A: BU@national-daily.com
Asunto: SummitQuest

¡Buenas noticias! Los de Summit hicieron que Cap me pusiera de nuevo en el equipo. Al menos alguien parece reconocer a un buen alpinista cuando lo tiene delante.

Nos vamos a Nepal el 15 de marzo. Ahora podré seguir informando a tu periódico por correo electrónico de todas las estupideces de los cabezones de SummitQuest. No te preocupes, Cap no sospecha nada. Sigue pensando que el informante es uno de los eliminados que lo hace por resentimiento.

Tilt Crowley

P.D. Recuerda que cuando llegue a la cumbre del Everest, te cobraré el doble por mis informes. ¡La próxima vez que nos veamos seré una estrella!

LA COMPETENCIA